Ouvrage initialement paru aux Éditions Garnier sous le titre :

CORRESPONDANCE EN ANGLAIS

LES LANGUES POUR TOUS
Collection dirigée par
Jean-Pierre Berman, Michel Marcheteau et Michel Savio

CORRESPONDANCE PRATIQUE
POUR TOUS

par

Crispin Michael Geoghegan
BA (joint hons), MA (thesis)

Professeur d'anglais à l'Ecole Supérieure
de Commerce de Paris et à
l'Ecole Supérieure de Commerce de Reims,
Chargé de cours à l'Université de Picardie.

avec la collaboration de
Jacqueline Gonthier, professeur certifié

PRESSES POCKET

Les langues pour tous

Collection dirigée par Jean-Pierre Berman,
Michel Marcheteau et Michel Savio

Série Initiation en 40 leçons

Série Perfectionnement

Série Score (100 tests d'autoévaluation)

Série économique et commerciale

Série Dictionnaires (Garnier)

Série « Ouvrages de référence »

Série « Bilingue » :

© Presses Pocket, 1988

ISBN : 2 - 266 - 02109 - 5

SOMMAIRE

INTRODUCTION

*C*et ouvrage complète La correspondance commerciale en anglais, *précédemment parue dans la collection* Les langues pour tous. *Tandis que le premier se limite aux échanges de lettres commerciales et s'adresse particulièrement à ceux qui reçoivent ou doivent rédiger des lettres d'affaires en anglais,* La correspondance générale *recouvre un éventail d'échanges très variés : comment louer une villa pour les vacances, qu'écrire pour demander un rendez-vous, pour s'excuser d'un retard, quelle formule choisir pour lancer une invitation, comment rédiger une demande d'emploi ; voilà quelques exemples de lettres traitées dans cet ouvrage, qui devrait permettre à un français possédant le bagage d'anglais de ses études secondaires de comprendre et rédiger des lettres en anglais. Les trois dernières sections exceptées, chaque partie est ainsi constituée :*

— Une page de lettres en anglais et en américain, dont la traduction est donnée en regard, sur la page de droite.

— Une page de commentaires et d'explications portant sur le vocabulaire, la grammaire, le style, ainsi que des notes culturelles.

— Une page de phrases types et leur traduction en français, regroupant d'autres tournures et expressions sur le même thème.

— Une page de lettres en français et leur traduction en anglais sur la page de droite.

— Une page de notes traitant des problèmes posés par le passage du français à l'anglais, accompagnées de remarques grammaticales et culturelles.

— Une page de vocabulaire récapitulatif, parfois complétée par des mots et expressions supplémentaires.

— Une page d'exercices suivis de la correction, qui portent sur les points essentiels de la section.

QUELQUES CONSEILS

Le passage d'une langue à une autre implique deux démarches distinctes : le **décodage** lorsque l'on reçoit une lettre d'un correspondant anglophone et l'**encodage** quand il s'agit de rédiger une lettre en anglais.

Beaucoup pensent que lire une lettre dans une langue étrangère est plus aisé que d'en écrire une ; il est évident que dans la correspondance de tous les jours, les lettres reçues ne sont pas traduites noir sur blanc, mais simplement comprises. C'est pourtant là qu'est le piège : une lecture trop rapide, quelques faux-amis bien placés peuvent parfois engendrer des conséquences bien fâcheuses. D'où ces quelques conseils :

— Ne pas se précipiter sur son dictionnaire pour traduire le texte de façon linéaire, mais lire la lettre dans son intégralité une première fois en essayant d'en dégager le sens global.

— Relire le texte plus attentivement en s'attachant de plus près aux différents paragraphes qui le constituent.

— Une fois le sens général acquis, relever les mots ou groupes de mots qui posent problème :

• tournures grammaticales qui déroutent (cas possessif, voix passive, forme progressive...) ;

• expressions idiomatiques qui n'ont pas d'équivalent littéral en français ;

• les groupements de mots **(word clusters)**, de plus en plus employés dans le style moderne, auquel ils apportent concision et sobriété, mais aussi risque de confusion pour l'étranger !

— Si des doutes persistent quant au sens de certains mots clés, il est alors conseillé de se reporter aux ouvrages de référence, dictionnaires ou grammaires, ou mieux, de demander quelques éclaircissements auprès d'un anglophone.

Une mise en garde cependant en ce qui concerne l'usage du dictionnaire : reconnaître d'abord la fonction grammaticale du mot inconnu (est-ce un nom, un adjectif ou un verbe ?) et choisir ensuite entre les différentes traductions, celle qui est appropriée au contexte de la phrase.

La rédaction d'une lettre en anglais pose quant à elle des

problèmes tout à fait différents : il s'agit alors d'activer ses connaissances.

— La correspondance n'est plus guère considérée de nos jours comme un exercice de style : ce qui prime avant tout est le message qu'il faut faire passer le plus clairement possible.

— Débarrasser donc la lettre que l'on a l'intention d'écrire de toutes les expressions idiomatiques souvent intraduisibles, les remplacer par des tournures plus plates peut-être mais que le correspondant étranger comprendra facilement.

— Éviter les phrases trop longues avec multiples enchaînements : les fautes se multiplieront également, et le message sera noyé.

— Sauf dans les lettres adressées à des amis de longue date, ne pas faire un usage trop fréquent de la première personne I ; lui préférer une tournure passive : au lieu de I **made out the cheque...** écrire **The cheque was made out...**.

— Attention aux différents registres ; la tendance actuelle est d'abandonner un certain formalisme, mais il faut se garder de tomber dans la familiarité : on ne s'adresse pas au directeur d'une banque de la même façon qu'à un ami ou un collègue.

— Le Français sera peut-être surpris de trouver un manque de variété dans les tournures et les formules de politesse anglaises. Le style épistolaire français est en quelque sorte le reflet du tempérament latin : expansif et volubile ; le style anglais au contraire est fait de conventions qui dissimulent une réserve toute britannique.

— Ne pas employer les contractions (**we'll, you'll,** etc.) sauf lorsque l'on écrit à des personnes que l'on connaît très bien.

— Excepté dans les lettres adressées aux familiers, les questions directes paraissent trop abruptes et sont à éviter. On leur préférera une question au style indirect.

Ex. : **Would you let me know when we may expect your visit ?**

— Les conventions ne neutralisent cependant pas les subtilités dans l'expression ; il faut ainsi prendre garde à la position de certains mots qui peuvent changer le ton d'une lettre.

Ex. : **Please would you send us your catalogue ?**

comporte une nuance d'urbanité absente de :

Would you please send us your catalogue ?

dont le ton trop insistant peut irriter le lecteur.

LA PONCTUATION

Souvent négligée, elle est pourtant un élément essentiel de la correspondance ; elle donne à la lettre son rythme, elle en est en quelque sorte la respiration, elle est nécessaire à la bonne compréhension du message.
Les signes de ponctuation sont les mêmes en français et en anglais, leurs fonctions similaires, seule la fréquence d'emploi peut varier d'une langue à l'autre.

Le point *(full, stop, period)* marque la fin d'une phrase.
Il est utilisé pour noter les abréviations, pour les décimaux (11.3 = eleven point three), remplaçant la virgule du français (11,3).

La virgule *(comma)* note une pause brève dans une phrase et est employée pour :
— séparer un mot ou groupe de mots introductifs,
Ex : **Unforfunately, I am obliged to delay my visit.**
— séparer une série de mots.
Ex. : **Please complete, sign, and return this document.**
— isoler un mot dans une phrase.
Ex. : **Mr Astor, our next-door neighbour, will be glad to hand you the keys when you arrive.**
— séparer les termes d'une liste ou les propositions d'une phrase ;
— marquer une parenthèse.
La virgule est un signe qu'il faut utiliser avec prudence, sa position dans la phrase pouvant changer radicalement le sens de celle-ci. Par exemple :
The Unilux Hotel says the official guide is unreliable.
L'hôtel Unilux dit que le guide officiel n'est pas fiable.
The Unilux Hotel, says the official guide, is unreliable.
L'hôtel Unilux, d'après le guide officiel, n'est pas fiable.

Le point virgule *(semi-colon)* note une pause dans la phrase et sépare les propositions indépendantes qui ont un lien logique entre elles.
Le point virgule est de plus en plus remplacé par le point, tendance qui suit celle d'un style moderne plus concis.

Deux points *(colon)* : ce signe introduit une liste de termes, une explication, précède une citation entre guillemets ou sépare deux affirmations reliées logiquement.

Le tiret *(dash)* plus fréquent en anglais qu'en français, il remplace souvent les parenthèses ; il est utilisé pour :
— ajouter une idée à la fin de la phrase ;
— produire un effet en marquant une interruption dans la pensée, ou un aparté.

Les parenthèses *(brackets)* introduisent une information supplémentaire qui n'est pas indispensable au séns de la phrase.

Le point d'interrogation *(question mark)* se place à la fin d'une question directe.

Le point d'exclamation *(exclamation mark)* indique la surprise, la joie ; il n'est guère utilisé dans une correspondance de style soutenu.

Les points de suspension *(dots, omission marks)* utilisés à l'origine pour montrer qu'une citation a été tronquée, présentent depuis quelque temps un nouvel emploi :
— marquent une interruption de la pensée ;
— mettent en valeur la suite de la phrase.
Peuvent dans ces deux cas être remplacés par un tiret.

Les guillemets *(quotation marks, quotes, inverted commas, single' ou double'')*. Toujours employés par paires indiquent :
— un style direct rapporté ;
— le nom d'un livre, d'une pièce que l'on cite ;
— qu'un mot ou une phrase est employé dans un sens spécial.

PRÉSENTATION D'UNE LETTRE ANGLAISE

Le papier et les enveloppes : une certaine tendance à écrire sur du papier à en-tête se développe (avec le nom, l'adresse et le numéro de téléphone de l'expéditeur imprimés en haut de la page), mais une lettre sur feuille vierge est toujours acceptable venant d'un particulier. Attention au format et à la couleur du papier : grand format (A4) s'il s'agit d'une lettre adressée à un organisme officiel ou d'une lettre d'affaires ; une couleur neutre, blanc ou crème est alors conseillée ; format plus petit lorsqu'on écrit à des connaissances, amis ou parents, couleurs et ornementation pouvant dans ce cas répondre davantage au goût personnel de l'expéditeur. Les enveloppes devront bien sûr être de même qualité que le papier et être assez larges pour pouvoir contenir la lettre pliée en quatre, ou mieux, en deux.

Manuscrite ou tapée à la machine ?

Toutes les lettres d'affaires sont de préférence tapées, une lettre manuscrite peut irriter le lecteur, surtout si l'écriture est difficilement lisible. On accepte de plus en plus les lettres à caractère privé tapées à la machine (surtout aux U.S.A.), mais elles sont à bannir absolument dans les messages de condoléances ou de félicitations qui doivent transmettre des sentiments tout personnels (chapitres XIII, XIV).

Disposition de la lettre :

— Sur une feuille vierge l'adresse complète de l'expéditeur — sans oublier le code postal et le numéro de téléphone — se place en haut et à **droite**.
— Légèrement en dessous figure la date qui peut s'écrire de différentes façons : **2nd May 1984 - 2 May, 1984 - May 2nd 1984 - May 2nd 1984 - May 2 1984.**
Éviter les chiffres qui peuvent mener à confusion : 2-5-1984 = 2 mai en anglais britannique, mai 5 février en anglais américain, qui donne le mois d'abord.

Abréviations (Oct., Jan., Nov.,). Elles peuvent être utilisées mais la majuscule est obligatoire en anglais pour les noms des mois comme pour ceux des jours de la semaine.

Pour les lettres d'affaires seulement.

Le nom et l'adresse du destinataire s'écrivent en haut et à gauche ; il est quelquefois utile aussi d'indiquer l'objet de la lettre, au niveau de la formule de salutation et au milieu de la ligne. Lorsqu'il y a une référence, celle-ci se place à gauche, sur la même ligne que la date ; elle est constituée des initiales de la personne qui signe la lettre et de celles de la secrétaire.

La formule de salutation.

Dear Sir, / Dear Madam, est la formule habituelle pour une lettre de caractère officiel (affaires, administration), ou lorsque l'on s'adresse à une personne que l'on ne connaît pas.
Sir, ou **Madam,** beaucoup trop formel est désormais tombé en désuétude.
Lorsque l'on ne connaît pas le sexe du destinataire **Dear Sir,** est la formule correcte. **Dear Madam** s'adresse à une dame

mariée aussi bien qu'à une jeune fille (**Dear Miss** n'est pas utilisé).

Lorsqu'on connaît la personne, ne fût-ce que très peu, on est autorisé à employer le nom de famille : **Dear Mr Jones, Dear Mrs Smith**. En revanche, **Dear Jones** et **Dear Frank Jones,** beaucoup plus familiers, doivent être utilisés avec précaution.

Une lettre adressée à un ami commencera par **Dear John** ; **My Dear John** est encore plus cordial. Aux U.S.A. cependant, **My Dear Mrs Stark** est plus cérémonieux que **Dear Mrs Stark**.

La formule de politesse.

La formule finale est beaucoup plus simple qu'en français. La lettre commencée par **Dear Sir / Dear Madam** se terminera par **Yours faithfully** ; celle commencée par **Dear Mr Jones** se terminera par **Yours sincerely**. **Yours truly** remplace quelquefois **Yours faithfully**. Lorsque les correspondants se connaissent davantage, la lettre d'affaires peut se terminer par **With best wishes,** ou **With kind regards,** clôtures qui peuvent être utilisées ainsi que **Yours very sincerely** dans des lettres adressées à des amis. **Yours, Ever yours,** ou **Yours ever** peuvent clôturer une lettre entre amis plus proches tandis que **With love from,** ou **Love,** terminera une lettre signée du prénom seulement et adressée à des amis intimes ou parents.

En anglais américain **Yours faithfully** est très souvent remplacé par **Sincerely yours,** ou **Sincerely. Very truly yours** est également employé.

La signature.

Dans les lettres d'affaires elle se place au-dessus du nom du signataire tapé à la machine, nom qui peut être précédé ou du titre ou de **Mr, Mrs, Miss** ou même **Ms** (qui ne révèle pas si la personne de sexe féminin est mariée ou non), ou suivi de la fonction.

L'adresse sur l'enveloppe.

Le titre (**Sir, Dr, Professor**) figurera sur l'adresse. Si le destinataire de sexe masculin n'en possède pas on pourra écrire **Mr C. Brown,** ou encore, **Cyril Brown Esq.** (abréviation de **Esquire : écuyer**) qui persiste encore de nos jours.

Pour les femmes mariées il est possible d'ajouter l'initiale du mari : **Mrs C. Brown**.

Quant aux jeunes filles on fera généralement précéder le nom de famille par le prénom : **Miss Catherine Brown**.

Présentation de la lettre en forme décalée

GRATELY & NORMAN LTD.,
TOUR OPERATORS,
31, RENNISTON ROAD,
DORTON DR3 1NN.

Our Ref. : TT/GH   14 May, 19..
M. Jules Lelage,
14, rue des Sages,
80800 AMIENS.
FRANCE

Dear Sir,
        I intend to visit Picardy in June in order to
examine the possibilities for organising coach tours
of the Somme with overnight stays in recommended
hotels.
        I wondered whether the project might interest
you and whether you would be willing to find time
to meet me some time in early June to discuss the
matter. I am sure you will find my plans interesting.
                        Yours faithfully,
                        G. Harmotte,
                        Marketing Manager.

Lettre en forme compacte (américain)

P.R. Germain,
11, rue du Porc,
21000 DIJON
FRANCE

Ms Eliane Sleeman,   June 21, 19..
Director,
Cultural Exchange Division,
State of Washington,
Concord,
Washington 98503

Dear Ms Sleeman :
We would very much like to send our 15-year old
son to one of your study camps for foreign students
of English.
Please let us have your brochure STUDY ENGLISH
IN WASHINGTON STATE.

Sincerely yours,

I

INQUIRIES

ASKING FOR LITERATURE

REPLIES

Demandes de renseignements

Demandes de documentation

Réponses

Un particulier écrit à un syndicat d'initiative, un Office du Tourisme ou une agence de voyages, et se renseigne sur les voyages touristiques et les formules d'hébergement.

INQUIRIES

2, Pine Walk,
Dorton,
Sussex,
DO 2 4PP
England

4th April 19..

Dear Sir,
Please let us have a copy of your brochure on
holiday accommodation in the Jura.
Yours faithfully,

P.R. Thomson (Mrs)

Apartment 226,
323, First Avenue,
Seattle,
Washington 98109,
USA,

March 6 1983

Dear Sir :
My wife and I plan to tour your country this
Summer.
Please send us your list of 4-star caravan sites.
I enclose a self-addressed envelope and an
International Reply Coupon.
Sincerely,

Peter A. Schulz

3, The Hollows,
Kilmarnock,
Ayreshire,
AY6 5WW,
Scotland,

Aventures,
14 bis, rue des Pierres,
75005 Paris,
France

12th April 19..

Dear Sir,
We noted your recent advertisement for economy
tours of the châteaux and vineyards of the Loire
during the months of September and October. We
would be interested to receive further details of
these holidays as soon as possible.
Yours faithfully,

DEMANDE DE RENSEIGNEMENTS

2, Pine Walk, [1]
Dorton,
Sussex,
DO2 4PP
Angleterre   4 avril 19..

Monsieur,
Auriez-vous l'obligeance de bien vouloir me communiquer[2] un exemplaire de votre brochure[3] touristique sur les formules d'hébergement dans le Jura.
Je vous prie d'agréer, Monsieur, l'assurance de mes sentiments distingués[4]

Monsieur, [5]
Ma femme et moi souhaitons[6] visiter votre pays en caravane[7] cet été et nous vous serions obligés de bien vouloir nous envoyer la liste des terrains de camping-caravaning 4 étoiles[8].
Veuillez trouver ci-joint une enveloppe libellée à mon adresse[9] et un coupon international de réponse.
Je vous prie d'accepter, Monsieur, l'expression de mes sentiments distingués[10].

3, The Hollows,
Kilmarnock,
Ayreshire,
AY6 5WW,
Scotland,

                          Aventures, [11]
                          14 bis, rue des Pierres,
                          75005 Paris,
                          France,

                          12 avril 19..

Monsieur,
Ayant remarqué votre récente publicité sur les circuits touristiques à tarif réduit des châteaux et vignobles de la Loire pendant les mois de septembre et d'octobre, nous vous serions reconnaissants de bien vouloir nous faire parvenir[12] dès que possible des renseignements supplémentaires sur ces voyages.
Veuillez agréer, Monsieur, l'assurance de ma considération distinguée.

1. Notez la place de l'adresse de l'expéditeur.
2. **let us have,** m.à.m. *laissez-nous avoir (permettez-nous d'avoir)* ; à ne pas confondre avec **let's have,** impératif du verbe **to have.**
3. **brochure,** mot général désignant toute forme de documentation.
4. **yours faithfully,** contrairement à l'anglais qui n'emploie que quelques formules de politesse finales, le français est très riche dans ce domaine et nous donnerons au cours de cet ouvrage toutes les variantes qu'il est possible d'utiliser.
5. Notez l'emploi dans la lettre en anglais américain des deux points au lieu de la virgule.
6. **plan to,** remarquez ici le style américain plus direct et plus concis que l'anglais britannique qui aurait employé **are planning.**
7. **touring holiday** (vb. **to tour**), (nom, **a tour**), *vacances itinérantes* en voiture ou en caravane, mais, **a tour** a aussi le sens de *voyage organisé.*
8. **4-star caravan sites,** star étant ici employé comme adjectif reste invariable.
9. **self-addressed envelope,** attention à l'orthographe **address, envelope.** m.à.m. *enveloppe adressée à soi-même.* Notez l'adjectif en **-ed** de **self-addressed.** L'enveloppe timbrée **(Stamped Addressed Envelope, SAE)** pour réponse est rarement jointe à une lettre de demande dans les pays anglo-saxons, hormis pour les pièces administratives. Il est cependant conseillé d'en joindre une lorsque l'on s'adresse à une association à but non lucratif : **Send SAE for our brochure.**
10. **Sincerely,** formule de politesse en anglais américain mise pour **Yours faithfully.**
11. Ici, l'adresse du destinataire figure sur la lettre à gauche en anglais. Elle doit apparaître sur toute correspondance d'ordre administratif ou commercial.
12. **would be interested,** m.à.m. *nous serions intéressés.* Notez l'emploi de **would** à la 1re personne du conditionnel.
    En anglais moderne **would** est utilisé pour toutes les personnes du conditionnel, **should** étant de plus en plus considéré comme auxiliaire modal notant une obligation, un devoir (synonyme de **ought to**).

1. Please send us a copy of...
2. I have seen your advertisement for...
3. We would be interested to receive particulars of...
4. We are particularly interested in...
5. We intend to...
6. If you want further details return this coupon to us with your name and address.
7. I look forward to receiving your literature.
8. We wish to...
9. We would be grateful if you could let us have any documentation on holidays in...
10. Could you let us have any literature on these tours ?
11. We are informed by the Tourist Board that you publish a list of recommended hotels in the area.
12. We should be obliged if you would forward further details of your holidays in... together with their cost to us at the above address.

---

1. Auriez-vous l'obligeance de bien vouloir m'envoyer un exemplaire de...
2. J'ai remarqué votre publicité concernant...
3. Voudriez-vous nous envoyer des précisions sur...
4. Notre attention a été particulièrement retenue par...
5. Nous avons l'intention de...
6. Pour tous renseignements complémentaires veuillez nous retourner ce bon avec votre nom et adresse.
7. En attendant de recevoir votre documentation...
8. Nous souhaitons...
9. Nous vous serions reconnaissants de bien vouloir nous faire parvenir toute documentation sur les vacances en...
10. Auriez-vous l'obligeance de nous envoyer toute documentation sur ces voyages.
11. L'office du Tourisme nous a fait savoir que vous publiez une liste des hôtels recommandés de la région.
12. Nous vous saurions gré de nous faire parvenir à l'adresse ci-dessus une documentation plus complète sur vos séjours en... ainsi que leur prix.

RÉPONSES

Syndicat d'initiative de Dôle,
1, Place de la Victoire,
39000 Dôle.

> M.J. Downing,
> 3, Pebble Mill Rd,
> Chester,
> CH3 4TT,
> Cheshire,
> Angleterre.

Nos réf. TY/PJ   15 avril 19..

Monsieur,
En réponse à votre lettre du . . . . . nous vous prions de trouver
ci-joint notre documentation qui vous donnera tous renseignements
utiles concernant l'hébergement des touristes, ainsi que les possibilités d'excursions et de loisirs qui vous sont offertes dans notre
région.
Veuillez noter cependant que nous ne sommes pas en mesure
d'assurer les locations ou réservations et que vous devez vous
adresser directement au propriétaire de l'hôtel ou du gîte rural.
Je vous prie d'agréer, Monsieur, l'expression de mes sentiments
dévoués.

> Le directeur,

Monsieur,
Suite à votre demande, nous avons le plaisir de vous envoyer sous
ce pli la brochure concernant notre nouvelle formule de voyages
organisés. Nous vous proposons, en promotion spéciale, une visite
de 5 jours de tous les châteaux de la région avec guide bilingue,
à un prix forfaitaire comprenant voyage et pension complète, qui
vous intéressera certainement. Mais bien sûr, notre brochure
présente le type de vacances qui convient à chacun ; n'hésitez
pas à nous contacter pour nous demander des précisions complémentaires.
Restant à votre disposition pour tous renseignements supplémentai-
res-qui vous seraient nécessaires, nous vous prions de croire,
Monsieur, à l'assurance de nos sentiments les plus dévoués.

REPLY TO AN INQUIRY

Syndicat d'initiative de Dôle,
1, Place de la Victoire,
39000 Dôle.

Mr J. Downing,
3, Pebble Mill Road,
Chester,
CH3 4TT,
Cheshire,
England

Our ref. TY/PJ   15 April 19..

Dear Sir,
In response to your letter of the . . . . . we are
pleased to enclose our literature. This [1] will give you
all the necessary information on tourist
accommodation as well as the excursions and leisure
facilities available in our region.
We regret however that we are unable to arrange
bookings [2]. Please contact the proprietor of the hotel
or gîte rural [3] directly to arrange reservations.
Yours faithfully, [4]

The Director.

Dear Sir,
In reply to your inquiry we are pleased to
enclose [5]the brochure on our new tours [6]. We have a
special offer of a 5-day [7] guided tour [8] of all the
châteaux of the region accompanied by a bilingual
guide. The price [9] includes [10] travel [11] and full
board [12]. We are sure you will find it attractive. But
our brochure contains holidays to suit everyone.
Do not hesitate to contact us for further details. We
will be pleased to provide any extra information [13]
you may [14] require.
Yours faithfully,

1. **This will,** remarquez ici la tendance générale en anglais à préférer les phrase courtes. Notez la présence de **this** en début de phrase qui reprend le dernier mot de la phrase qui précède.
2. **bookings** (vb. **to book**) recouvre le sens de *louer, réserver*. On trouvera ainsi **to book a seat, to book a room, to book a cabin.**
3. *le gîte rural,* formule économique d'hébergement a pour équivalent le plus proche les « **farm holidays** » en Grande-Bretagne (aux USA « **Ranch holiday** ») avec cette différence qu'en G.B. et aux USA le logement pour touristes n'est pas forcément indépendant de l'habitation principale.
4. Attention ! ne traduisez jamais mot pour mot une formule finale de politesse du français en anglais ce qui ferait sourire votre correspondant anglo-saxon. **Yours faithfully** clôt une lettre commençant par **Dear Sir,** adressée à quelqu'un que l'on ne connaît pas.
5. **to enclose,** traduit le sens de *sous ce pli.*
6. **new tours :** *formule* n'a pas été traduit.
7. **5-day tour, day** ici est invariable parce que considéré comme l'adjectif. Ne pas traduire par **Visit** qui en anglais est beaucoup plus statique.
8. **tour,** préférable à **package tour** (voyage organisé à un prix forfaitaire) qui a un sens légèrement péjoratif. On peut employer alternativement **charter tour** ou **group tour.**
9. **special offer,** se rapporte toujours au prix.
10. variantes pour *prix forfaitaire :* **all-in price, inclusive price** ou **price inclusive of...**
11. **travel,** n'est utilisé sous forme de substantif qu'en anglais technique. Pour rendre *voyage* dans le sens de *vacances ou visite* ou même *trajet* employez **trip** ou **journey.**
12. **full board,** ou **board and lodging** = *pension complète.*
13. **information,** toujours au singulier, un renseignement = **a piece of information.**
14. **may,** notez l'auxiliaire modal **may** qui indique ici une hypothèse, une éventualité.

Retrouver l'équivalent anglais
des mots et expressions ci-dessous :

	Corrigé :
1. hébergement, logement	1. accommodation (attention ! 2 m).
2. adresser.	2. to address (attention ! 2 d).
3. publicité (annonce).	3. advertisement (abréviation : ad).
4. prix forfaitaire.	4. all-in price.
5. louer, réserver.	5. to book.
6. assurer les, (s'occuper des) réservations.	6. to arrange reservations, to arrange bookings.
7. s'adresser à quelqu'un (= prendre contact avec).	7. to contact someone.
8. brochure.	8. brochure.
9. un exemplaire.	9. a copy.
10. documentation.	10. literature (attention ! 1 seul t après la première syllabe).
11. circuit à tarif réduit.	11. economy tour.
12. joindre (un document).	12. to enclose.
13. pension complète.	13. full board.
14. détails complémentaires.	14. further details, further particulars.
15. visite guidée.	15. guided tour.
16. vacances.	16. holiday(s).
17. donner des renseignements.	17. to give information (attention ! singulier).
18. un renseignement.	18. a piece of information.
19. coupon-réponse international.	19. international reply coupon.
20. voyage, trajet.	20. journey.
21. loisirs.	21. leisure.
22. terrain.	22. site.
23. détails.	23. details, particulars.
24. avoir l'intention de, projeter de.	24. to plan.
25. avoir besoin de ; demander (= nécessiter).	25. to require.
26. réponse (à une lettre).	26. reply (également response, américain à l'origine).
27. renvoyer un bon.	27. to return a coupon.

A. Traduire et disposer correctement la lettre suivante
14, rue des Saules, 75015 Paris*, le 12 avril 19...
Monsieur,
Nous souhaitons passer nos vacances dans votre région cet
été et nous vous serions reconnaissants de bien vouloir nous
communiquer la liste des hôtels 2 étoiles de votre ville. Je
vous prie d'agréer, Monsieur, l'assurance de mes sentiments
distingués.

B. Traduire
1. Veuillez trouvez ci-joint une enveloppe à mon adresse.
2. Nous vous serions obligés de nous faire parvenir votre
nouvelle brochure sur les voyages organisés aux U.S.A.
3. Les réservations sont-elles assurées directement par le
propriétaire ? **4.** Je vous serais reconnaissant de bien vouloir
m'envoyer des détails supplémentaires sur ce voyage. **5.** Le
prix forfaitaire comprend-il voyage et pension complète ?

Corrigé

A.   14, rue des Saules,
                                 75015 Paris

                                 12th April 19..

Dear Sir,
We plan to spend our holidays in your region this
Summer. Please send us the list of (the) 2-star hotels
in your town.
Yours faithfully,

B.
1. I(we) enclose a self-addressed envelope. **2.** We
would be interested to receive your new brochure
on holidays(tours) in the U.S.A. **3.** Are reservations
arranged directly by the proprietor ? **4.** Please send
us (let us have) further details on this tour. **5.** Does
the all-in price include travel and full board ?

* Il s'agit de l'adresse du signataire.

II

INQUIRIES

ABOUT HOTEL CHARGES

REPLIES

Demandes de renseignements à un hôtel

Réponses

Un touriste se renseigne sur les possibilités d'accueil et les prestations offertes par un hôtel, un *bed and breakfast,* un terrain de camping.

INQUIRY

Dear sir,
We wish to holiday in Llanfern this year. We would
be grateful if you could let us have your rates for a
double room with twin beds and bath.
Yours faithfully,

REPLY

Dear Sir,
Thank you for your inquiry of . . . . . Our rates for
a room with twin beds and bath are £ . . . . per
night.
This includes English breakfast.
All our rooms are equipped with colour television
and a direct dialling telephone.
Yours faithfully,

INQUIRY

Dear Mrs McPherson,
My wife and I, together with our two children,
would like to stay in Glenloch for a few days and
wondered if you could let us know your charges for
the Summer season. My wife and I would prefer a
double bed. The children could share a room. Please
let us know what facilities you provide.
Yours sincerely.

REPLY

Dear Mr Pantana,
Thank you for your inquiry about my terms for the
19. . . . season. The daily charge for two rooms
would be £ . . . . linen included. I can offer a
reduction for stays longer than one week.
There is hot and cold running water in all bedrooms.
I regret that I cannot accept children under 6 years
of age.
Yours sincerely,

DEMANDE DE RENSEIGNEMENTS

Monsieur,
Désirant passer des vacances[1] à Llanfern cette année, nous vous serions reconnaissants de bien vouloir nous faire parvenir vos tarifs pour une chambre deux personnes avec lits jumeaux et salle de bains.

Réponse

Monsieur,
En réponse à votre demande du .... le prix d'une chambre double avec lits jumeaux et salle de bains est de £ .... par nuit[2], petit-déjeuner à l'anglaise[3] compris.
Chaque chambre est équipée d'un téléviseur couleur et d'un téléphone direct.

DEMANDE DE RENSEIGNEMENTS

Chère Madame,[4]
Souhaitant, ma femme et moi ainsi que nos deux enfants, faire un séjour de quelques jours à Glenloch, nous vous serions obligés[5] de bien vouloir nous communiquer les tarifs pour la prochaine saison d'été.
Ma femme et moi préférerions un lit double ; quant aux enfants, ils pourraient partager la même chambre. Auriez-vous l'obligeance de bien vouloir me donner[6] des précisions sur le confort[7] de votre établissement ?[8]

Réponse

Cher Monsieur,
Nous vous remercions de votre lettre concernant les conditions et prix[9] pour la saison 19.....
Le prix à la nuit[10] de deux chambres est[11] de £ ...., le linge étant fourni[12]. Une réduction est offerte après la première semaine de séjour[13]. Toutes les chambres possèdent lavabo avec eau chaude[14].
Il ne nous est malheureusement pas possible d'accepter les enfants de moins de 6 ans[15].

1. **to holiday,** variante de **to spend a holiday.**
2. **per night,** emploi de **per** + *nom* pour tout tarif : **per day, per week...** en anglais parlé on dira « **it's x pounds a night** ».
3. **English breakfast** or **cooked breakfast** : jus de fruit, céréales, saucisses, bacon, œufs, pain grillé, confiture, thé ou café. Tandis que le petit déjeuner continental (**continental breakfast**) est généralement inclus dans le prix de la chambre, il y a souvent supplément pour le petit déjeuner à l'anglaise.
4. **Dear Mrs McPherson,** l'Anglais contrairement au Français s'adressera à une personne qu'il ne connaît pas, par le nom de famille et évitera **Dear Madam.** La tendance actuelle est en outre de remplacer **Miss** ou **Mrs** par **Ms.**
5. **Wondered if you could,** m. à m., *nous nous demandions si vous pouviez.* Expression très utilisée pour les requêtes, toujours suivie de **if** + *conditionnel* moins directe que **could you,** ou **Please...** ou **Kindly...**
6. **to provide,** *fournir* variante : **facilities that are provided.**
7. **facilities** tout ce qui contribue au confort : équipement (cuisine et sanitaires) mais aussi possibilités de distractions, de ravitaillement...
8. **Yours sincerely,** formule de politesse qui clôt une lettre commençant par **Dear Mr ....., Dear Mrs .....**
9. **terms,** *conditions et prix.*
10. **daily,** adjectif construit à partir du substantif **day** de la même façon que **weekly, monthly, yearly...**
11. **would be,** notez en anglais l'emploi du conditionnel, la réservation restant hypothétique.
12. **linen,** USA **linens,** mot général désignant *le linge de maison* (draps, serviettes de toilettes, etc.).
13. **a stay,** *un séjour.*
14. **running water,** m. à m., *l'eau courante.*
15. **under 6 years of age,** ou simplement **under 6.**

1. I would also be grateful if you would let us know whether you have any vacancies for this period.
2. As our holidays are flexible, we would wish to arrive before the high season.
3. We would be interested to receive particulars of your charges.
4. I wish to spend a week in...
5. Could you let us know what leisure facilities the hotel provides ?
6. Our weekly terms are advantageous.
7. We have received your inquiry for...
8. The rates for the family package will remain effective until .... and include VAT.
9. Unfortunately, we are obliged to add an extra charge of 5 % for payments by credit card.
10. We are forwarding a copy of our guide to .... under separate cover.
11. We allow a discount of 10 % for group bookings.

---

1. Je vous serais également reconnaissant de bien vouloir nous indiquer si vous disposez de chambres libres pendant cette période.
2. N'ayant pas de date fixe pour nos vacances, nous voudrions arriver avant la haute saison.
3. Nous vous serions obligés de bien vouloir nous donner des détails sur les prix.
4. Je souhaiterais passer une semaine à . . . . .
5. Pourriez-vous nous indiquer les possibilités de distractions offertes par l'hôtel ?
6. Nos tarifs à la semaine sont intéressants.
7. Nous avons bien reçu votre demande concernant . . . . .
8. Ces tarifs spécial-famille sont valables jusqu'au . . . . TVA incluse.
9. Nous nous voyons malheureusement obligés d'ajouter un supplément de 5 % pour les règlements par carte de crédit.
10. Nous vous faisons parvenir sous pli séparé un exemplaire de notre guide des . . . . .
11. Nous offrons une réduction de 10 % sur les réservations de groupes.

DEMANDE DE RENSEIGNEMENTS

Monsieur,
L'Office du Tourisme de . . . . . m'ayant recommandé de m'adresser à vous, je vous serais reconnaissante de bien vouloir me donner quelques renseignements sur vos possibilités d'accueil.
Notre famille se compose de cinq personnes, dont 3 enfants de 4, 10 et 12 ans : notre jeune fils pourrait partager notre chambre tandis que les deux filles auraient une chambre avec lits jumeaux. Nous souhaitons qu'une des deux chambres soit équipée d'une salle de bains complète avec wc.
Je serais également désireuse de connaître les prix de pension pour le mois de juin.
Dans l'attente de votre réponse...

Réponse à une demande de renseignements

Madame,
Nous vous remercions de votre lettre du . . . . . et de l'intérêt que vous portez à notre établissement. Nous proposons à nos clients des chambres avec ou sans salle de bains complète et toutes nos chambres sont dotées de lits jumeaux. Un enfant de moins de 5 ans peut loger dans la chambre de ses parents, le lit supplémentaire étant fourni gratuitement. Si vous avez l'intention de séjourner dans notre hôtel au début du mois de juin vous bénéficierez du tarif de basse saison que nous garantissons jusqu'au 15 juin.
Vous trouverez ci-joint la liste des prix à la nuit.
Je vous prie de croire...

DEMANDE DE RENSEIGNEMENTS

Monsieur,
Ayant l'intention de passer quelque temps dans votre station, je vous serais obligé de bien vouloir m'envoyer le tarif des terrains de camping ainsi que les prestations offertes par ceux-ci.
Veuillez agréer...

INQUIRY

Dear Sir,
Your address has been given to me by [1] the . . . . .
Tourist Board. I would be grateful if you could give
me some information about your accommodation [2].
We are a family of five with 3 children aged 4, 10
and 12 years. Our young son could share our room
while the 2 girls could share a room with twin beds.
We would like one of the bedrooms to have a
bathroom and toilet. I would also like to know your
rates [3] for full board [4] for the month of June.
Yours faithfully,

REPLY TO AN INQUIRY

Dear Mrs . . . . . ,
Thank you for letter of . . . . . [5]. We can offer rooms
with or without bathroom facilities. All our rooms
have twin beds. Children under 5 are allowed to
share the parents' room [9]. A spare bed [1] is supplied
at no extra cost [6]. If you intend to stay in our hotel
at the beginning of June you will be able to take
advantage of our off-season [9] rates. These are
guaranteed [10] until the 15th of June.
We enclose a copy of our tariff [11].
Thank you for your interest in our establishment [12].
Yours sincerely,

INQUIRY

Dear Sir,
I wish to spend a few days in your resort [13]. Please
send me details of the charges of the different camp
sites [14] and the facilities they can offer.
Yours faithfully,

1. **has been given to me,** variante **has been recommended to me.** Remarquez la voix passive avec **be** au parfait : **has been** + participe passé **given.**
2. **accommodation,** hébergement, terme général.
3. **rates,** prix, tarifs.
4. **full board,** pension complète.
5. *de l'intérêt que vous portez,* en anglais se place de préférence en clôture de lettre.
6. **parents' room,** notez le génitif incomplet, **parents** étant au pluriel.
7. **spare bed,** var. **extra bed,** lit supplémentaire, lit d'ami.
8. **at no extra cost,** var. **there is no supplementary charge, there is no surcharge,** sans supplément.
9. **off season,** var. **low-season,** *basse saison.*
10. **guaranteed,** var. **held,** *garanti.*
11. **tariff,** *liste des tarifs, des prix.*
12. **establishment,** un peu archaïque, on préférera préciser : hotel, bed and breakfast...
13. **resort,** *station,* **ski resort, seaside resort** : *station de ski, de bord de mer.*
14. **camp site,** à noter : **the charge for a pitch,** *le prix d'un emplacement.*

VOCABULAIRE

US	GB	Français
		pension complète
American Plan	full board	*(tous repas compris)*
European Plan	no meals included	*chambre seule*
Modified	half board (Hb)	*petit déjeuner*
American Plan	partial board	*repas + chambre*
double bed	double bed	*lit double grand lit*
twin beds	twin beds	*lits jumeaux*
a single	single bed	*lit individuel*
trailer	caravan	*caravane*

ABRÉVIATIONS

B&B, b&b, *Bed and breakfast.*
gge, *garage.*
VAT incl., *VAT included.*
W/E rates, *weekend rates, forfait weekend.*

Eve meal, Evening meal.
pking, parking.

Retrouver l'équivalent anglais
des mots et expressions ci-dessous :

1. prix intéressant.	**Corrigé :**
2. accepté, permis.	**1. advantageous price.**
3. salle de bains.	**2. allowed.**
4. prix (d'une location, d'une chambre, d'un service).	**3. bath(room).**
5. petit déjeuner continental.	**4. charge(s).**
6. quotidien, à la journée.	**5. continental breakfast.**
7. téléphone direct.	**6. daily.**
8. réduction, ristourne.	**7. direct dialling telephone.**
9. chambre pour 2 personnes.	**8. discount,**
10. petit déjeuner à l'anglaise.	**9. double room.**
11. supplément (à payer).	**10. English breakfast.**
12. faire suivre, envoyer.	**11. extra cost, extra charge.**
13. réservation de groupe.	**12. to forward.**
14. haute saison, pleine saison.	**13. group booking.**
15. inclus.	**14. high season.**
16. possibilités de distractions (signifie aussi équipements de loisirs).	**15. included,**
	16. leisure facilities.
17. linge.	**17. linen, (U.S.) linens.**
18. basse saison.	**18. low season.**
19. par nuit.	**19. per night.**
20. emplacement (d'une tente sur un terrain de camping).	**20. pitch.**
21. fournir.	**21. to provide (aussi to supply).**
22. tarifs.	**22. rates.**
23. station (balnéaire, se ski).	**23. resort (seaside resort, skiing resort).**
24. commission, supplément, surcharge, service, pourboire.	**24. service charge.**
25. chambre individuelle.	**25. single room.**
26. passer des vacances.	**26. to spend a holiday (holidays).**
27. un séjour.	**27. a stay.**
28. profiter de, bénéficier de.	**28. to take advantage of.**
29. liste des prix, des tarifs.	**29. tariff.**
30. conditions et prix.	**30. terms.**
31. lits jumeaux.	**31. twin beds.**
32. tarif hors-saison.	**32. off-season rate(s).**

A. Traduire les phrases suivantes

1. Nous ne disposons pas de chambres libres pendant cette période.
2. Quelles possibilités de distraction l'hôtel offre-t-il ?
3. Nous offrons une réduction de 10 %.
4. Je vous serais reconnaissant de bien vouloir m'indiquer...

B. Traduire

Monsieur,
Auriez-vous l'obligeance de me donner des détails supplémentaires sur les prestations offertes par votre établissement ?

C. Compléter la lettre suivante :

Dear Mr Lewis,
My wife and (1) wish to (2) a holiday in your town and wondered (3) you (4) send us a brochure together with the tariff. We (5) like a (6) room with bath.
Yours (7),

Corrigé

A.
1. We have no vacancies for this period.
2. What leisure facilities does the hotel provide ?
3. We allow a discount of 10 % (a 10 % discount).
4. I would be grateful if you would let me know...

B.
Dear Sir,
Please let me have details of the facilities offered by your establishment.

C.
1. I. **2.** spend. **3.** if. **4.** could (would). **5.** would.
6. double. **7.** sincerely.

III

RESERVING ACCOMMODATION

CONFIRMING AND MODIFYING
A RESERVATION

Réserver une chambre d'hôtel
ou dans une pension

Lettres de confirmation
et de modification

Un particulier, un(e) secrétaire
ou une agence s'adresse à un
hôtel pour réserver une chambre, pour annuler la réservation.
L'hôtelier confirme la réservation, suggère un arrangement.

RESERVATION

Dear Sir,
Will you please reserve a room with single bed and shower for me for the period from 7th to 14th October. Kindly confirm the booking by return.

CONFIRMATION

Dear Sir,
Thank you for your letter of . . . . . We have reserved the accommodation you require, namely a room with single bed and shower for the period 7th to 14th October inclusive.
We look forward to your arrival.

RESERVATION

Dear Sir,
We are organising a coach tour of the West coast for a party of 44 plus driver for the first two weeks of August. We would like to make a reservation for 20 double rooms and 5 single rooms, all with bath. We trust our booking will qualify for your group reductions. Please inform us as to the deposit you require.

CONFIRMATION OF PROVISIONAL BOOKING

Dear Sir,
Thank you for your letter of . . . . concerning a provisional group booking.
We are pleased to confirm that we have booked 20 double rooms with bath. Unfortunately all our single rooms with bath are taken for the period you require. We have provisionally booked 5 single rooms with shower and hope these will be satisfactory.
We do not usually give discount for group bookings in August but we are willing to provide the driver's room free of charge.

RESERVATION

Cher Monsieur,
Je vous serais reconnaissant de bien vouloir [1] me réserver une chambre pour une personne, avec douche, pour la période allant du 7 au 14 octobre [2]. Auriez-vous l'obligeance [3] de me confirmer la réservation par retour du courrier. [4]

Confirmation

Cher Monsieur,
Nous avons bien reçu votre lettre du .... dont nous vous remercions ; nous avons retenu [5] comme vous le désirez [6] une chambre individuelle [7] avec douche pour la période du 7 au 14 octobre inclus. [8]
En attendant de vous accueillir, [9] je vous prie d'agréer...

RÉSERVATION

Nous organisons un voyage-circuit de la côte ouest en autocar [10] pour un groupe de 44 voyageurs (plus conducteur) pendant [11] les deux premières semaines du mois d'août. Nous vous serions obligés de bien vouloir nous réserver [12] 20 chambres pour deux personnes et 5 chambres individuelles, toutes [13] équipées de salles de bains.
Nous espérons que nous pourrons bénéficier du tarif du groupe et nous vous demandons de bien vouloir nous indiquer [14] le montant des arrhes à verser. [15]

Confirmation de réservation

Nous vous remercions de votre lettre du .... et de votre réservation de principe [16]. Nous avons le plaisir de vous confirmer la réservation de 20 chambres doubles avec salles de bains. Malheureusement toutes nos chambres individuelles avec bains sont réservées pour la période qui vous intéresse et nous avons retenu sous réserve de votre accord 5 chambres individuelles avec douche en espérant que ceci vous conviendra [17].
Auriez-vous l'obligeance de bien vouloir nous faire savoir si vous acceptez l'arrangement que nous vous proposons ? Nous n'offrons habituellement pas de tarifs de groupe pour le mois d'août, mais nous consentons à [18] loger gratuitement [19] le conducteur.

1. **will you please reserve, will** ici marque beaucoup moins la notion de futur que celle de volonté : *voulez-vous réserver ?*
2. **from 7 to 14 October, from 7 thru' 14 October** (US). En anglais les noms des mois et de jours prennent une majuscule.
3. **kindly,** adverbe construit sur l'adj. **kind** = *aimable.* On trouve également, **would you be so kind as to...**
4. **by return,** pour by return of post.
5. **accommodation,** non traduit ici, terme très général pour indiquer logement, hébergement.
6. **to require,** *demander, nécessiter, avoir besoin de.*
7. **namely,** *à savoir,* parfois rendu en français par « : ».
8. **inclusive,** adjectif ; *inclus,* **included** étant le participe passé.
9. **to look forward to** + rom., *attendre un événement.* Lorsque cette expression est suivie d'un verbe celui-ci prend la forme en -ing. We look forward to seeing you.
10. **coach,** *autocar* pour excursions, voyages ; ici, ne pas employer **bus,** *autobus de ville* ou car sur lignes régulières.
11. **for,** obligatoire car suivi d'un groupe de mots marquant une durée —2 weeks — Réservez l'emploi de **during** pour une période bien déterminée : **during** the Easter holiday.
12. **to make a reservation,** var. to reserve.
13. **all,** reprend **double rooms and 5 single rooms.**
14. **as to,** m. à m., *quant à.*
15. **deposit, to pay a deposit,** *verser / payer des arrhes, un acompte.* **non-refundable deposit** = *arrhes* (non remboursables).
16. **provisional,** *provisoire.* **to book** est moins définitif que **to reserve.**
17. **these will be satisfactory,** m. à m. *celles-ci vous donneront satisfaction.*
18. **are willing to,** expression construite sur **will** notant la bonne volonté (voir 1 ci-dessus) traduit parfois par volontiers.
19. **free of charge, free** = *gratuit,* **to charge** = *faire payer.*

1. I am writing to confirm our telephone booking of 17 April. We shall be grateful if you could reserve the Executive suite in the name of Michelot.
2. We wondered whether you have any rooms vacant for the 1st week of April.
3. Mr Depont will require a suite with 2 bedrooms and a single bedroom on the same floor for his secretary.
4. I have reserved the accommodation as requested.
5. Mr . . . . would greatly appreciate it if you could let him have his usual room.
6. I shall be glad to have an early reply so that I can complete Mr Greene's travel arrangements.
7. An additional charge is payable for . . . . .
8. We regret any inconvenience this might have caused you.
9. Kindly forward a receipt for the deposit.
10. You may be sure that everything possible will be done to make your stay agreeable.

---

1. Je viens confirmer par écrit notre réservation par téléphone du 17 avril. Nous vous serions reconnaissants de bien vouloir retenir une suite (un appartement) au nom de Michelot.
2. Auriez-vous l'obligeance de nous faire savoir si vous avez des chambres disponibles pour la première semaine d'avril ?
3. M. Depont désirerait une suite avec 2 chambres ainsi qu'une chambre individuelle au même étage pour sa secrétaire.
4. J'ai réservé la chambre selon votre demande.
5. M. . . . . vous saurait gré de pouvoir loger dans la chambre qu'il occupe habituellement.
6. Je vous serais obligé(e) de me répondre rapidement afin que je puisse prendre les dernières dispositions pour le voyage de M. Greene.
7. Un supplément sera perçu pour . . . . .
8. Veuillez nous excuser du dérangement que cela a pu vous causer.
9. Auriez-vous l'amabilité de nous faire parvenir un reçu contre les arrhes versées ?
10. Nous espérons vivement que vous trouverez notre établissement d'un séjour agréable.

ANNULATION DE RÉSERVATION

Monsieur,
Je vous ai demandé il y a quinze jours de me retenir une chambre pour la semaine du 3 au 10 juillet. Ma femme étant subitement tombée malade, il nous sera impossible de nous rendre à . . . . à la période envisagée, et je vous serais très obligé d'annuler cette réservation et de bien vouloir me rembourser les arrhes versées à la réservation. Avec toutes mes excuses, je vous prie de croire...

HÔTEL COMPLET

Monsieur,
Suite à votre lettre du . . . . relative à la réservation de deux chambres doubles, j'ai le regret de vous faire savoir que nous n'avons plus de chambres disponibles pour cette date. Cependant, j'ai communiqué votre lettre à un hôtel analogue au nôtre qui se trouve dans la même rue et qui pourra peut-être vous loger.
En regrettant à nouveau de ne pouvoir satisfaire votre demande, je vous prie d'agréer...

RÉSERVATION FERME

Les conditions que vous m'indiquez pour deux chambres avec vue sur la mer . . . . soit £ . . . . par jour et par personne me conviennent parfaitement et je vous demande de bien vouloir me retenir ces chambres pour la période allant du 24 au 31 août. Nous arriverons donc à . . . . le samedi soir vers 18 h. Vous trouverez ci-inclus à titre d'arrhes un mandat international pour . . . . F.

En réponse à votre lettre nous vous confirmons la réservation d'une chambre individuelle pour 3 nuits à compter du 13 octobre et nous vous saurions gré de bien vouloir nous faire parvenir . . . . F d'arrhes afin de garantir cette réservation.

Réservation par télex

VEUILLEZ RÉSERVER CHAMBRE INDIVIDUELLE 3 NUITS 13-15 OCT. M. LUKES DIRECTEUR DE VENTES CONFIRMEZ RAPIDEMENT.

RETENONS CHAMBRE 13-15 OCT. ENVOYER ARRHES POUR RÉSERVATION GARANTIE. REMERCIEMENTS.

CANCELLING A RESERVATION

Dear Sir,
Two weeks [1] ago I asked [2] you to book me a room
for the week 3 to 10 July.
Unfortunately my wife has suddeny fallen ill [3] and
it will be impossible for us to travel to . . . . as
planned. [4] We would be obliged if you would cancel
the reservation and refund the deposit. [5]
With apologies, [6]
Yours faithfully,

HOTEL FULL [7]

Dear Sir,
Following your letter of . . . . relating to the
reservation of 2 double rooms I regret to inform you
that we have no rooms vacant [8] for that date.
However I have passed your letter on to a hotel of
similar quality which is on the same road. They
may be able to accommodate you. We are sorry that
we are unable to accept your booking.
Yours faithfully.

CONFIRMATION OF RESERVATION

Your terms for 2 rooms overlooking the sea, namely
£ . . . . daily per person are perfectly acceptable. I
would be grateful if you would reserve the rooms
for the 24-31 August.
We expect [9] to arrive at about 6 o'clock on Saturday
afternoon. I enclose an International Money Order [10]
for . . . . F to cover the deposit.

In reply to your letter we confirm the reservation
of a single room for 3 nights from the 13 October.
We would be grateful if you would forward a deposit
of . . . . F to confirm the booking.

RESERVATION BY TELEX

PLS [11] BOOK 1 SINGLE ROOM 3 NIGHTS 13 TO
15 OCT. MR. LUKES SALES MANAGER CONFIRM
SOONEST [12].

HOLDING 1 SINGLE ROOM 13 TO 15 OCT. DEPOSIT
CONFIRMS [13] WITH THANKS.

1. **2 weeks,** var. (GB) **a fortnight.**
2. **asked,** la présence de **ago** entraîne obligatoirement le prétérit, l'action étant passée et datée.
3. **My wife having suddenly fallen ill,** traduction littérale qui serait comprise du correspondant anglo-saxon ; désuète, on lui préfèrera une tournure plus moderne : **Unfortunately.. and...**
4. **planned,** var. **expected.**
5. **refund the deposit,** var. **arrange for the deposit to be refunded.**
6. **apologies,** substantif, verbe **to apologize** variante : **Please accept our apologies.**
7. **hotel full,** on trouvera cette formule pour un hôtel et **no vacancies** pour un **bed and breakfast.**
8. **no rooms vacant,** var. **no vacancies.**
9. **to expect,** sens général, s'attendre à un événement, ici synonyme de **hope,** espérer.
10. **International Money Order,** notez également : virer de l'argent, **to transfer money** ; chèques de voyage, **traveller's cheques** (GB), **travelers checks** (US).
11. **PLS,** abréviation pour **please.**
12. **soonest,** superlatif de l'adverbe **soon** que l'on trouve rarement hors du style télégraphique, ici mis pour la tournure **as soon as possible.**
13. **deposit confirms,** tournure ambiguë souvent employée dans les télex ; en clair : **send a deposit to confirm the reservation.**

DIFFÉRENCE D'ORTHOGRAPHE ENTRE L'ANGLAIS BRITANNIQUE ET L'ANGLAIS AMÉRICAIN

US	GB	français
canceled	cancelled	
canceling	cancelling	*(annuler)*
traveling	travelling	*(voyager)*
check	cheque	*chèque*
elevator	lift	*ascenseur*
1st floor	ground floor	*rez-de-chaussée*
2nd floor	1st floor	*1er étage*
bill	banknote	*billet*
bill/check	bill	*addition*

Retrouver l'équivalent anglais
des mots et expression ci-dessous :

Corrigé :

1. loger, héberger.	1. to accommodate (attention ! 2 c et 2 m).
2. supplément (à payer).	2. additional charge.
3. s'excuser.	3. to apologize.
4. prendre des dispositions.	4. to arrange, to make arrangements.
5. selon votre demande.	5. as requested.
6. disponible.	6. available (chambre) vacant.
7. frais de réservation.	7. booking charge.
8. par retour du courrier.	8. by return (of post).
9. annuler.	9. to cancel.
10. voyage (circuit) en autocar.	10. coach tour.
11. arrhes, acompte.	11. deposit.
12. verser un acompte.	12. to leave (to make, to pay) a deposit.
13. rembourser des arrhes.	13. to refund a deposit.
14. espérer, s'attendre à.	14. to expect.
15. étage niveau.	15. floor.
16. gratuit.	16. free of charge.
17. complet (hôtel).	17. fully booked, booked up.
18. dérangement.	18. inconvenience.
19. provisoire.	19. provisional.
20. sous réserve de votre accord.	20. provisionally.
21. auriez-vous l'amabilité de.	21. would you be so kind as to.
22. attendre un événement avec impatience.	22. to look forward to.
23. à savoir, soit.	23. namely.
24. donner sur.	24. to overlook.
25. je vous serais reconnaissant de.	25. I would be grateful if you would.
26. groupe.	26. party.
27. communiquer.	27. to pass on.
28. réservation de principe.	28. provisional booking.
29. virer de l'argent.	29. to transfer money.
30. douche.	30. shower.
31. réservation par téléphone.	31. telephone booking.
32. avoir les qualités requises, remplir les conditions pour.	32. to qualify for.
33. reçu.	33. receipt.

A. Traduire
1. Voudriez-vous avoir l'amabilité de réserver 2 chambres à 2 personnes au nom de Prot. **2.** Il n'y a malheureusement plus de chambres disponibles pour la semaine du 21 au 28 juillet. **3.** Auriez-vous l'obligeance de me confirmer la réservation par retour du courrier ? **4.** Nous sommes désolés de vous faire savoir qu'il nous sera impossible de nous rendre à . . . . à la date prévue. **5.** Nous vous saurions gré de bien vouloir annuler la réservation.

B. Complétez avec *for, during, ago* ; **mettre le verbe au temps correct**
1. We (to plan) to stay in your hotel . . . . a few days.
2. Two years . . . . I (to spend) a very pleasant week in your bed and breakfast. **3.** I (to write) to you a fortnight . . . . . **4.** We would like to spend a week in your bed and breakfast . . . . the school holidays.

Corrigé

A.
1. Kindly reserve 2 double rooms in the name of Prot. **2.** Unfortunately we have no rooms vacant (no vacancies) for the week 21-28 July. **3.** Please confirm the reservation by return of post. **4.** We regret to inform you that we will be unable to come to . . . . as expected. **5.** We would be grateful if you would cancel the reservation.

B.
1. We *plan* to stay in your hotel *for* a few days.
2. Two years *ago* I *spent* a very pleasant week in your bed and breakfast. **3.** I *wrote* to you a fortnight *ago*. **4.** We would like to spend a week in your bed and breakfast *during* the school holidays.

IV

RENTING A HOUSE
OR AN APARTMENT

Location d'une maison,
d'un appartement

Un touriste cherche une location pour ses vacances, un
étranger désire louer un appartement meublé pour une
période de travail à l'étranger.

SEEKING HOLIDAY ACCOMMODATION

I.P. Richard & P.Swaine,   8 May 19. .
Estate Agents,
Hanley House,
Renton on Sea,
RE2 0SW.

Dear Sir,
I intend to spend a fortnight in . . . . . with my
family next Summer and am seeking furnished
accommodation in the area.
I would be grateful if you could recommend a
property which would suit a family of four. We
should prefer a 3-bedroomed bungalow near the sea
but would no exclude a suitable flat or other self-
catering accommodation.
Yours faithfully.

CONTACTING THE OWNER

Dear Madame Richard,
We learned from . . . . . that you let fully furnished
accommodation at Falaizes.
We would be interested in renting « Les Bouleaux »
for the last two weeks in August. Please let us have
details of the property and advise us whether it has
been let for this period.
Yours sincerely,

REPLY FROM THE OWNER

Further to your inquiry about the possibility of
renting « Les Bouleaux » for two weeks in August,
we are pleased in inform you that the bungalow is
still available for this period.
My terms are . . . . . Francs per week. An advance
payment of 25 % is payable on reserving, the balance
to be paid on arrival. Terms do not include electricity
and gas but linen, cooking, crockery, cutlery and
cleaning facilities are supplied. The property is
cleaned between lettings.
I will be happy to supply further particulars as
required.

DEMANDE DE LOCATION DE VACANCES

I.P. Richards & P. Swaine,
Agent Immobilier.[1]

Monsieur,
Ayant fait le projet de passer deux semaines avec ma famille à
. . . . . l'été prochain, je suis à la recherche d'une location meublée
dans la région.
Je vous serais donc reconnaissant de bien vouloir m'indiquer un
logement[2] qui conviendrait[3] à une famille de 4 personnes. Notre
préférence irait[4] à un pavillon de plain-pied[5] comprenant 3 chambres[6] à proximité de la mer mais nous prendrions en considération
un appartement[7] qui répondrait à nos besoins ou tout autre
logement meublé et équipé[8].
Je vous prie d'agréer . . . . .[9].

DEMANDE DE RENSEIGNEMENTS AU PROPRIÉTAIRE

Madame,
Nous avons appris par . . . . . que vous louez à[10] Falaizes des
logements complètement équipés. Nous serions désireux de louer
« Les Bouleaux » pendant la deuxième quinzaine du mois d'août.
Nous vous serions obligés de nous donner des détails sur la
propriété, et de nous faire savoir[11] si la location est retenue pour
la période considérée.

RÉPONSE DU PROPRIÉTAIRE

Suite à[12] votre lettre au sujet de la location[13] des « Bouleaux »
pendant 2 semaines du mois d'août, nous avons le plaisir de vous
faire savoir que cette maison est disponible[14] à la période
envisagée. Le montant de la location est de . . . . . francs par
semaine ; un acompte[15] correspondant à 25 % du prix devra être
versé à la[16] réservation, le solde[17] à votre arrivée[18].
Les charges de gaz et d'électricité ne sont pas comprises dans la
location ; par contre, le linge de maison, l'équipement ménager et
la vaisselle sont fournis. D'autre part, le logement est nettoyé
entre chaque location.
Restant à votre disposition pour vous donner si besoin est[19] tous
renseignements supplémentaires, je vous prie d'agréer...

1. **Estate Agent** (US **realtor**), *agent immobilier* qui s'occupe de ventes de propriétés immobilières mais également de locations.
2. **property,** terme très général en anglais *(propriété)*, désignant ici tout logement.
3. **suit,** verbe = *convenir* ; adjectif : **suitable.**
4. **should,** var. **would.**
5. **bungalow,** *pavillon de plain-pied.* Parmi les autres types de maison : **cottage** (petite maison à la campagne), **detached house** *(maison individuelle),* **semi-detached house** *(maison jumelée),* **terraced house** (faisant partie d'une rangée de maisons toutes semblables).
6. **3-bedroomed,** le substantif **bedroom,** transformé en adjectif en -ed se place devant le nom auquel il se rapporte (**bunga-low**).
7. **flat** (US **apartment**), *appartement,* aussi : **a bedsitter,** *un studio.*
8. **self-catering,** m. à m., *où l'on se débrouille seul, indépendant,* logement qui offre tout l'équipement nécessaire aux activités quotidiennes.
9. **Yours,** en présentation décalée, la formule de politesse serait placée à droite.
10. **to let,** *louer* au sens de *donner en location.*
11. **to advise,** ici *faire savoir* (var. **let us know**), l'autre sens étant *conseiller.*
12. **further to,** *suite à, comme suite à...*
13. **renting,** remarquez la forme en -ing du verbe qui suit la préposition **of.**
14. **still available,** m. à m., *encore libre, reste disponible.*
15. **advance payment,** var. **deposit.**
16. **on + reserving,** la préposition **on** marque le moment précis où se déroule l'action.
17. **balance,** *solde.*
18. **to be paid,** sous-entendu **(is to) be paid** : l'auxiliaire modal **be to** au présent marque une obligation qui fait suite à un accord préalable. Souvent employé dans le style administratif, judiciaire et commercial, il est moins contraignant et moins direct que **must** ou **have to.**
19. **as required,** *si nécessaire.*

1. We are writing to you now to inquire whether you know of any property for rent in the area.
2. M. and Mme Trenez spent an agreable holiday in your cottage last year.
3. I am looking for a flat if possible with lock-up garage.
4. A furnished house near the industrial estate would be most suitable.
5. Could you let us have details of your terms and conditions ?
6. The deposit is non-returnable but is deducted from the 1st week's rent.
7. A deposit of $ . . . . . is required for the use of the Hi-Fi equipment.
8. We regret that breakages must be paid for.
9. References and guarantees may be obtained from my future employers Solix Corp. in your town.
10. We offer long or short lets.

---

1. Nous vous demandons par ce courrier de bien vouloir nous indiquer les possibilités de location dans la région.
2. M et Mme Trenez ont passé un agréable séjour dans votre maison l'année dernière.
3. Je suis à la recherche d'un appartement avec garage fermé si possible.
4. Une maison meublée à proximité de la zone industrielle me conviendrait parfaitement.
5. Voudriez-vous avoir l'obligeance de m'envoyer des précisions sur les prix et conditions ?
6. L'acompte n'est pas remboursable mais sera déduit de la première semaine de loyer.
7. Une caution de . . . . . dollars sera demandée en cas d'utilisation de la chaine hi-fi.
8. Nous demandons que toute casse soit payée.
9. Pour toute référence et garantie, s'adresser à mon futur employeur Solix SA situé dans votre ville.
10. Nous proposons des locations à court ou à long terme.

A LA RECHERCHE D'UN APPARTEMENT MEUBLÉ

Devant travailler prochainement à . . . . pour une période d'environ 10 mois, je vous serais reconnaissant de bien vouloir m'indiquer un appartement meublé à louer, situé aussi près que possible du centre ville.

Je le désirerais « tout confort » (chauffage central, salle de bains, cuisine entièrement équipée) avec au moins deux chambres à coucher, et souhaiterais que le loyer ne dépasse pas £ . . . . par mois.

Dans l'attente d'une réponse aussi prompte que possible, je vous prie d'agréer...

Réponse de l'agent immobilier

Nous vous remercions de votre lettre du . . . . par laquelle vous nous informez de votre intention de louer un appartement meublé. Nous avons l'avantage de pouvoir vous proposer un appartement au 2e étage d'un immeuble proche de la gare, en parfait état, comportant séjour, salle à manger, deux chambres, et équipé de façon moderne et fonctionnelle (la cuisine possède un lave-vaisselle). Le loyer mensuel de ce meublé, qui s'élève à $ . . . ., charges locatives non comprises, est payable le 1er de chaque mois, les deux premiers mois de loyer étant versés à titre d'acompte à la signature du contrat de location. L'inventaire des meubles aura lieu le jour de la prise de possession en présence du locataire. Celui-ci devra, à son départ, donner congé au moins un mois à l'avance par lettre recommandée.

Si ces conditions vous agréent, il vous sera possible de visiter l'appartement sur rendez-vous.

Je vous serais très obligé de nous faire part de votre décision le plus rapidement possible et vous prie de croire...

Réservation positive

J'ai le plaisir de vous faire savoir que l'appartement que vous m'avez proposé dans votre lettre du . . . . correspond exactement à ce que je cherche. M. Marly qui sur ma demande a visité les lieux a trouvé ceux-ci conformes à la description et justifiant le prix du loyer.

Je vous serais donc reconnaissant de bien vouloir me faire parvenir un contrat de location que je vous retournerai dûment signé dans les plus brefs délais.

LOOKING FOR A FURNISHED APARTMENT

I[1] will[2] shortly[3] be coming to work in .... for about[4] 10 months. I would be grateful if you would let me know of any furnished flats[5] for rent as near as possible to the town centre.

I would prefer all modern conveniences[6] (central heating, bathroom, fully equipped kitchen) with at least two bedrooms and at not more than £ .... per month.

Hoping for an early reply, I remain[7],

Yours ....

REPLY FROM A REALTOR (US)

Thank you for your letter of .... informing us of your desire to rent a furnished apartment. We are happy to[9] be able to offer an apartment on the third floor[10] of a building[11] near the station. The apartment is in excellent[12] condition and includes living room, dining room, and 2 bedrooms. It has all modern conveniences (there is a dishwasher in the kitchen).

The monthly rent is $ ...., services[13] not included, and is payable on the 1st of each month. 2 months' rent[14] is paid as a deposit on signature of the rent agreement[15].

The inventory will be made on the day the tenant moves into the property. The tenant must give one month's notice of vacation[16] by registered letter. If you find these conditions acceptable it will be possible to view the apartment by appointment. I would be obliged if you could let us have your decision as soon as possible and remain,

Yours ....

ACCEPTANCE

I am pleased to inform you that the flat that you offered in your letter of .... is perfectly suitable[17]. Mr Marly has viewed the property[18] at my request and found it in accordance with the description and thought the rent fair.

I would therefore be grateful if you would let me have a tenancy agreement which I will return duly[19] completed as quickly[20] as possible.

1. m. à m. **having to,** l'Anglais évite de commencer une lettre par un participe qui donne une impression de lourdeur à la phrase. var. **as I have to.**
2. **will be coming,** notez le futur progressif très souvent employé lorsqu'il est certain qu'une action décidée à l'avance se déroulera dans un futur plus ou moins proche.
3. **shortly,** adv. construit sur l'adjectif **short,** var. **soon, in the near future.**
4. *période,* n'a pas été traduit, **period** serait ici trop formel.
5. **any flats,** remarquez l'emploi de **any** qui indique « *tout appartement* » et rend l'idée de choix.
6. **all modern conveniences** que l'on trouvera souvent sous l'abréviation **all mod cons** dans les petites annonces.
7. **I remain,** en clôture de lettre paraît peut-être légèrement démodé de nos jours.
8. **informing us,** un exemple encore du style concis, en anglais « *par laquelle* » n'est pas traduit.
9. **we are happy to,** var. **we are in a position to.**
10. en américain **1st floor** = *rez-de-chaussée,* **2nd floor** = *1er étage* et ainsi de suite.
11. **building,** terme très général var. **apartment block** (US).
12. **excellent,** l'anglais n'emploiera pas l'adjectif **perfect** qui a une notion de superlatif absolu à éviter ici.
13. **services,** gaz et électricité, var. **utilities (US).**
14. **2 months' rent,** notez le cas possessif formé à partir d'un mot indiquant une durée. Plus loin : **one month's notice.**
15. **rent agreement,** var. **tenancy agreement,** également : **lease** = *un bail,* **to lease** = *donner* ou *prendre à bail.*
16. **vacation,** substantif, verbe **to vacate** = *libérer.*
17. **perfectly suitable,** var. **fits my requirements perfectly.**
18. **property,** var. **the premises** qui serait correct ici : fait partie du vocabulaire légal et commercial.
19. **duly,** traduction facultative, peut être omis.
20. **quickly,** ne pas traduire *brefs délais* par **shortly** qui est beaucoup trop vague.

Retrouver l'équivalent anglais
des mots et expression ci-dessous :

Corrigé :

1. versement d'avance, acompte.
2. conseiller ; informer.
3. tout confort.
4. appartement.
5. solde (somme restant à payer).
6. studio.
7. casse.
8. pavillon.
9. maison individuelle.
10. bail.
11. lave-vaisselle.
12. dûment.
13. agent immobilier.
14. complètement équipé (meublé).
15. conformément à.
16. louer (propriétaire).
17. louer (locataire).
18. garage fermant à clé.
19. donner congé.
20. contrat de location.
21. chercher.
22. locataire.
23. visiter (un appartement).
24. libérer les lieux.
25. zone industrielle.
26. chauffage central.
27. lettre recommandée.
28. sur rendez-vous.
29. dans la région.
30. qui convient.
31. loyer.

1. advance payment.
2. to advise.
3. all modern conveniences.
4. (GB) flat ; (US) apartment.
5. balance.
6. bed-sitter.
7. breakage.
8. bungalow.
9. detached house.
10. lease.
11. dishwasher.
12. duly.
13. estate agent, (US) realtor.
14. fully furnished.
15. in accordance with.
16. to let.
17. to rent.
18. lock-up garage.
19. to give notice.
20. rent agreement, tenancy agreement.
21. to seek.
22. tenant.
23. to view.
24. to vacate the premises.
25. industrial estate.
26. central heating.
27. registered letter.
28. by appointment.
29. in the area.
30. suitable.
31. rent.

VOCABULAIRE COMPLÉMENTAIRE :

bring own linen : linge non fourni.
business flat : appartement bureau, professionnel, mixte.
coin-operated meter : compteur à pièces.
resident caretaker : gardien(ne) sur place.

A. Vous désirez insérez cette petite annonce dans l'« International Herald Tribune » :

A louer de sept. à fév., Grenoble, appartement meublé 3 chambres, 4ᵉ étage, tout confort, proximité centre ville, garage fermé, prix intéressant.

B. Compléter les phrases en choisissant l'une des réponses proposées :

1 - I have a large family and would like :
a) a 5 bedroom's house, **b)** a 5 bedrooms' house, **c)** a 5-bedroomed house.

2 - As I am going abroad I would like to **a)** let, **b)** sell, **c)** lease my flat for two months.

3 - I have a dog and I would prefer a flat on the **a)** ground floor, **b)** 1st floor, **c)** 2nd floor, opening out onto a garden.

4 - I am leaving my apartment soon, I must not forget to give, **a)** three month's notice, **b)** three month notice, **c)** three months' notice.

Corrigé

A. For rent September to February, Grenoble 3 - bedroomed furnished apartment, 5th floor, all mod cons, near (convenient to) city centre, lock-up garage, low price.

B.
1. c). **2.** a). **3.** a) ; b) en américain. **4.** c).

V

RENTING A VEHICLE

BOOKING THEATRE SEATS

Location de véhicules
Réservation de places
de théâtre

Un voyageur désire louer un
camping-car, réserver des places à un concert...

INQUIRY ABOUT RENTING A VEHICLE

Gentlemen :
We want to tour some of your National Parks in July.
Please give us a quotation for renting a 5-berth trailer complete with linens and crockery.
We would also be interested to have your charges for a comparable 5-berth motorhome.
Sincerely yours,

REPLY
TO AN INQUIRY ABOUT VEHICLE HIRE

Dear Sir :
In response to your letter of . . . . . we have pleasure in quoting you as follows :
5-berth trailer complete with crockery and linens
. . . . $. . . weekly (daily rent not available).
5-berth de-luxe motorhome with roof rack, gas stove, chemical toilet and shower . . . . $. . . daily. Weekly rates are negotiable and depend on length of rent.
All our motorhomes are fitted with cruise control (50 mph) and run on high-test gasoline.
All our vehicles have current year registration.
Rent of a suitable towing vehicle can be arranged by calling us on 800-742.02.42 (toll free) or write us at . . . . . .
We attach a copy of our conditions of rent.

TO A TICKET AGENCY

Dear Sir,
We will be spending a short holiday in London from 6 to 10 December. Please book us 2 stalls seats for The Topcats Variety Spectacular now showing at the Adelio Theatre.
Any night would be suitable. I will forward payment on receipt of your confirmation of this booking.
Your faithfully.

DEMANDE DE TARIF DE LOCATION D'UN VÉHICULE

Messieurs,
Nous avons l'intention de visiter quelques Parcs Nationaux [1] au
mois de juillet et nous vous serions obligés de bien vouloir
nous communiquer les tarifs [2] de location pour une caravane
5 personnes [3], entièrement équipée (linge [4] et vaisselle compris).
Auriez-vous également l'obligeance de nous faire connaître le prix
d'un camping-car (d'une autocaravane) à 5 couchettes de qualité
similaire ?
Je vous prie d'agréer . . . . .

Réponse

En réponse à votre lettre du . . . . . nous avons le plaisir de vous
proposer ci-après nos tarifs :
— caravane 5 couchettes entièrement équipée, vaisselle et linge
fournis . . . . $. . . par semaine (il n'existe pas de location
à la journée pour cette catégorie) [5] ;
— camping-car (autocaravane) de luxe, 5 couchettes avec galerie
de toit, gazinière, wc chimique et douche . . . . $. . . par
jour. Les tarifs à la semaine peuvent être négociés [6] et sont en
fonction de la durée de la location.
Tous nos camping-cars sont équipés de régulateur de vitesse
(50 miles à l'heure [7]) et fonctionnent au super [8] carburant [9].
Tous nos véhicules ont été immatriculés dans l'année [10]. Vous
avez la possibilité de réserver la voiture [11] tractrice en nous appelant
au 800-742.02.42 (appel gratuit) [12] ou en nous écrivant à . . . . . [13].
Vous trouverez ci-joint un exemplaire de nos conditions de location.

LETTRE A UNE AGENCE DE LOCATION

Nous avons l'intention de faire un court séjour à Londres du 6 au
10 décembre. Veuillez nous réserver deux fauteuils d'orchestre [14]
pour le spectacle de variétés « The Topcats » qui se joue [15] en ce
moment au Théâtre Adelio.
Toute soirée nous conviendrait. Nous vous réglerons la somme
due après réception de la confirmation.
Veuillez recevoir nos salutations distinguées.

1. **National Parks,** Parcs naturels protégés qui n'ont d'équivalent ni en France, ni en Grande-Bretagne. Immenses, ils couvrent environ 30 millions d'hectares et sont répartis sur plus de 300 sites. Ils offrent un lieu de vacances idéal aux touristes amateurs de lieux sauvages et pittoresques.

2. **quotation,** traduit ici par *tarifs,* peut avoir le sens de *devis,* vb., **to quote.**

3. **trailer,** (US), **caravan** (GB).

4. **linens,** notez le pluriel en américain.

5. **not available,** trouvé parfois sous l'abréviation **NA.**

6. **negotiable,** = certains tarifs sont souples et il est possible de discuter des prix avec la compagnie.

7. **50 mph,** = **50 miles per hour.** 1 mile = 1 609 m. Dans tous les États d'Amérique (Nevada excepté), la vitesse est strictement limitée à 55 mph (89 km/h) sur route comme sur autoroute.

8. **high-test,** ou **hi-test,** *super,* également **regular** = *essence ordinaire.*

9. **gasoline,** ou **gas** (US), *essence,* **petrol** (GB).

10. **registration,** immatriculation des véhicules qui indique la date d'achat, aussi **licence plate** (US) = *plaque minéralogique.*

11. **towing vehicle,** m. à m. véhicule qui remorque la caravane, traduit ici par voiture. *to tow* = **remorquer.**

12. **toll free** (US) **(freephone** (GB)) : numéros précédés de l'indicatif 800-.

13. **write us,** tournure américaine plus directe qu'en anglais britannique où on lirait **write to us.**

14. **stalls seat,** fauteuil d'orchestre, également **box** = *loge,* **balcony** = *balcon,* **dress-circle** = *corbeille,* **ground floor** = *baignoire,* **the gallery, the gods** = *le paradis, le poulailler.*

15. **showing,** remarquez la voix active plus concise que la voix passive **(being shown)** qui logiquement devrait être employée ici.

1. The driver should not have been convicted of a serious motoring offence.
2. The driving licence must be produced at the commencement of rental.
3. Please supply a quotation for the rental of a 4-berth mobile home for 3 weeks in July.
4. Vehicles are available from 3 pm and must be returned by 9 am.
5. We regret that we cannot accept payment by credit card for camping cars.
6. Deposits are refundable in full if written notice of cancellation is received 7 days in advance.
7. Our rates do not include fuel.
8. There is no cancellation charge.
9. Vehicles may be picked up/collected at any of our airport parking lots.
10. Tickets may be collected until . . . . .
11. Valid travel documents and current driving licence must be produced when picking up vehicle.

---

1. Le conducteur ne doit pas avoir été l'objet de condamnation pour infraction grave au code de la route.
2. Le permis de conduire doit être présenté au début de la location.
3. Veuillez me faire parvenir les tarifs pour la location d'un camping-car 4 couchettes pendant 3 semaines en juillet.
4. Les véhicules sont disponibles à partir de 15 h et doivent être retournés avant 9 h.
5. Le règlement par tout moyen accréditif n'est pas accepté pour la location des camping-cars.
6. L'acompte est remboursé dans son intégralité si un avis d'annulation nous est parvenu une semaine auparavant.
7. Nos tarifs ne comprennent pas le carburant.
8. Il n'y a pas de frais d'annulation.
9. Le véhicule peut être pris à l'un quelconque de nos parcs d'aéroport.
10. Les billets peuvent être retirés jusqu'à . . . . .
11. Les documents de voyage en règle et le permis de conduire (non périmé) doivent être présentés lors de la prise du véhicule.

Monsieur,

Nous vous remercions des renseignements que vous nous avez fournis relatifs à la location de caravanes et de camping-cars. Nous avons l'intention de louer le camping-car 5 couchettes pour la période du 15 au 29 juillet. Nous vous retournons donc le formulaire de réservation dûment complété.

DATE	* ACCESSOIRES . . radio ☐
NOM	siège enfant ☐ TV ☐
ADRESSE	équipement
MARQUE	spéciaux neige ☐
MODÈLE	* EN OPTION
* TRANSMISSION	suppression de franchise
automatique ☐ manuelle ☐	moyennant le supplément
LOCATION du	de . . . . ☐
au	garantie complémentaire
LIEU DE DÉPART	conducteur et personnes
HEURE D'ARRIVÉE	transportées ☐
AÉROPORT	NOMBRE DE
numéro du vol	CONDUCTEURS . . . . . .
ligne aérienne	NOM, AGE ET ANCIEN-
PORT MARITIME	NETÉ DU PERMIS DU (DES)
nom du bateau	CONDUCTEURS . . . .
compagnie	ACOMPTE A LA RÉSERVA-
GARE	TION . . . .
LIEU DE RESTITUTION . .	MOYEN DE PAIEMENT . .
	HEURE . . . .

* cocher la case.

Madame,
Comme suite à votre réservation par lettre du . . . . . nous vous prions de trouver sous ce pli deux billets pour le concert de la soirée du . . . . . . Les places sont garanties jusque 20 h 30. Le public n'est pas admis dans la salle après 21 h.

Monsieur,
A l'occasion des fêtes de Pâques nous organisons chaque année un voyage pour notre club de l'Age d'Or ; nous vous serions reconnaissants de bien vouloir nous communiquer les tarifs pour la location d'un autocar avec chauffeur pendant le week-end du 2 avril.

Dear Sir,
Thank you for the information on the hire[1] of
caravans and camping cars[2].
We would like to hire a 5-berth camping car from
15 to 29 July. We therefore enclose[3] the completed[4]
reservation form.

DATE . . . .
NAME . . . .
ADDRESS . . . .
MAKE . . . .
MODEL . . . .
* TRANSMISSION
automatic □ manual □
PERIOD OF HIRE FROM
. . . . TO . . . .
HIRE TO COMMENCE
AT . . . .
ETA . . . .[5]
AIRPORT . . . .
  flight No . . . .
  airline . . . .
SEAPORT . . . .
  name of ship . . . .
  line . . . .[6]
STATION . . . .

* tick[10] appropriate box.

* EXTRAS . . . . radio □
  child's seat □ TV □
  special   equipment
(snow) . . . .□
* OPTIONAL
  Collision damage wai-
  ver[7]   (supplementary
  premium)[8] □
  Personal   accident
insurance covering[9] dri-
ver and passengers □
NUMBER OF DRIVERS
NAME, AGE AND DRI-
VING EXPERIENCE OF
DRIVER(S) . . . .
AMOUNT OF DEPOSIT
PAID . . . .
METHOD OF PAYMENT
HIRE TO FINISH AT . .
TIME . . . .

Dear Mrs . . . . . ,
Further to your reservation by letter of the . . . . .
please find enclosed two tickets for the evening
concert on the . . . . . . Seats are held until 8-30 pm[11].
Doors close at 9 pm.

Dear Sir,
Every Easter we organise a trip for our club « The
Silver Lining »[12]. We would be obliged if you would
let us have a quotation for the hire of a coach and
driver for the weekend of the 2nd April.

1. **The hire of** (GB), **rent of** (US), en anglais britannique on emploiera de préférence **hire** pour tout ce qui se déplace (voiture, machines, costume), **rent** étant réservé pour l'immobilier.

2. **camping-car,** var., *camper.*

3. **we therefore enclose,** var., **we enclose herewith the completed form ;** le formulaire est joint à la lettre dans la même enveloppe. L'expression **we are therefore returning** serait plus ambiguë ; le formulaire pourrait être envoyé à une date ultérieure ou sous pli séparé.

4. **completed,** vb., to complete, var., **to fill in.**

5. **ETA,** Estimated Time of Arrival = *heure d'arrivée prévue.*

6. **line,** shipping line.

7. **waiver,** vb., **to waive,** sens général, *renoncer à un droit,* ici traduit l'idée de suppression.

8. **premium,** *prime d'assurance,* également **insurance policy** = *police d'assurance.*

9. **covering,** vb., **to cover** = *couvrir,* rend la notion de garantie.

10. **to tick,** *cocher,* d'habitude les Anglo-Saxons ne mettent pas de croix dans les cases ; **to cross** = *mettre une croix.*

11. **8.30 pm,** les horaires de trains et d'avions sont donnés de 0 h à 24 h mais en général la journée est divisée en deux parties ; jusqu'à *midi* **(noon),** l'heure est suivie des lettres **am** (ante-meridem), *après-midi* elle est suivie des lettres **pm** (post-meridem) ; ainsi 8.30 am = *huit heures trente,* 8.30 pm = 20 h 30.

12. **Silver lining,** nom courant donné aux associations du 3e âge, **Silver Lining,** traduction libre pour « *Club de l'Age d'Or* ».

LE PASSIF

En correspondance le style impersonnel est souvent rendu par des tournures passives ; au lieu d'écrire **we hold the seats until...** on écrira **the seats are held until,** et à la place de **you must produce your licence,** on trouvera **the licence must be produced.** La voix passive se construit avec le verbe être au temps requis par la phrase, suivi du participe passé (attention aux verbes irréguliers !).

Retrouver l'équivalent anglais
des mots et expressions ci-dessous :

Corrigé :

1. couchette.	1. berth.
2. remplir un formulaire.	2. to fill in a form.
3. garantir (couvrir).	3. to cover.
4. permis de conduire.	4. driving licence.
5. heure d'arrivée probable (prévue).	5. estimated time of arrival (ETA).
6. vol (aérien).	6. flight.
7. location.	7. hire, rental.
8. police d'assurance.	8. insurance policy.
9. parc naturel.	9. national park.
10. voyageur (à bord d'un moyen de transport).	10. passenger.
11. prime d'assurance.	11. insurance premium.
12. prendre (venir chercher).	12. to pick up, to collect.
13. tarif, devis, prix annoncé.	13. quotation.
14. donner un prix, un tarif.	14. to quote.
15. immatriculation.	15. registration.
16. galerie (sur le toit d'une voiture).	16. roof rack.
17. cocher (une case, etc.).	17. to tick.
18. remorquer.	18. to tow.
19. carburant.	19. fuel.
20. valable (en règle).	20. valid.
21. retirer (des billets).	21. to collect.
22. présenter un document.	22. to produce.
23. annulation.	23. cancellation.
24. parc; parking.	24. parking lot.
25. remboursable.	25. refundable.
26. gazinière.	26. gas stove.
27. 9 h (matin).	27. 9 a.m.
28. essence (GB et US).	28. (GB) petrol ; (US) gas.
29. caravane (GB et US).	29. (GB) caravan ; (US) trailer.
30. Pâques.	30. Easter.

VOCABULAIRE COMPLÉMENTAIRE :

unlimited free mileage : kilométrage illimité.

hatchback car : voiture 5 portes.

rent/hire here . . . leave there (one-way rental) : louez ici, laissez ailleurs (le lieu de retour du véhicule loué est différent du lieu de prise en charge).

towing charge : frais de remorquage, de rapatriement, du véhicule.

third party insurance : assurance au tiers, tierce-collision.

VOCABULAIRE COMPLÉMENTAIRE

US	GB	Français
gasoline (gas)	petrol	essence
fuel	fuel	carburant
oil	oil	huile
crude oil	crude oil	pétrol brut
Diesel oil	Diesel (Derv)	gasole
kerosine	paraffin	fuel (fioul) domestique
high-test (hi-test)	4-star	super
regular	2-star	ordinaire
gas-station filling-station	petrol station	station service
windshield	windscreen	pare-brise
tire	tyre	pneu
hood	bonnet	capot
trunk	boot	coffre
parking lot	car-park	parc à voitures, « parking »
highway expressway thruway	motorway	autoroute
toll(road)		autoroute à péage
thruway	by-pass	rocade
lane	lane	voie
overpass	flyover	autopont, passerelle
to rent	to hire	louer
to rent	(immobilier) to rent	louer
toll free	freephone	appel libre (gratuit)
a ticket	a fine	une amende
station wagon	estate car	« break »
trailer	caravan	caravane
motorhome camper	camping-car	camping-car autocaravane
van	van	camionnette
truck	lorry	camion
stove	cooker	cuisinière

VI

COMPLAINTS

Lettres de réclamation

Diverses situations où le client,
touriste... est amené à poser
une réclamation. Réponse du
correspondant.

SOMETHING LEFT IN A HOTEL

Dear Sir,

During my holiday in your country I spent a week in .... and stayed in your hotel from 5 to 11 June. On returning home I discovered that I had lost a silver ring which belonged to my grandfather. I believe I may have left it in my room.

The ring has very little intrinsic worth but is of great sentimental value to me. If your staff have come across it I would be very grateful if you could send it on to me at the above address.

I will of course meet any expenses incurred.

REPLY FROM A HOTEL MANAGER

Dear Sir,

I refer to your letter of .... on the subject of a lost silver ring. I am happy to inform you that the ring was handed in by a cleaner shortly after you left. On receipt of your letter I arranged for it to be despatched to your address. I would be obliged if you would let us have a check for $... to cover postage and packing.

Assuring you of our best intentions.

BOOKING ERROR

Dear Sir,

Ten days ago I booked 2 single rooms in your hotel for the weekend of the 14th May. On receiving the letter of confirmation I was surprised to see that we have been booked for 2 <u>double</u> rooms. I should be grateful if you would amend the reservation and confirm the amendment by return.

REPLY

Dear Sir,

Thank you for pointing out our booking error. We have amended the booking to 2 single rooms and must apologize for the misunderstanding.

We look forward to receiving your visit.

OUBLI D'UN OBJET DANS UNE CHAMBRE D'HÔTEL

Monsieur,

Au cours de vacances dans votre pays j'ai passé[1] une semaine à
. . . . et séjourné dans votre établissement du 5 au 11 juin. A
mon retour[2], je me suis rendu compte que j'avais[3] perdu une
bague en argent qui appartenait à mon grand-père. Il est possible[4]
que je l'aie laissée[5] dans la chambre que j'occupais. Bien qu'elle
n'ait guère de valeur réelle[6] j'y suis sentimentalement très attaché[7].
Au cas où un membre de votre personnel[8] l'aurait trouvée[9], je
vous serais très reconnaissant de bien vouloir me la faire parvenir[10]
à l'adresse indiquée ci-dessus, étant bien entendu que je vous
dédommagerai[11] de tous frais que cela entraînerait.

Réponse du directeur de l'hôtel

Monsieur,

En référence à votre lettre du . . . . au sujet d'une bague en argent
perdue, je suis heureux de vous faire savoir que cette bague m'a
été remise[12] par un agent de service peu après votre départ. Dès
réception[13] de votre lettre, je l'ai fait envoyer[14] à votre adresse ;
je vous serai obligé de bien vouloir m'envoyer un chèque de
$ . . . . qui couvrira les frais (d'emballage et) d'envoi.
Restant à votre service[15], je vous prie d'agréer...

ERREUR DANS LA RÉSERVATION DE CHAMBRES

Monsieur,

J'ai réservé, il y a dix jours, deux chambres individuelles dans
votre établissement pour le week-end du 14 mai.
En recevant votre lettre de confirmation j'ai constaté avec surprise
que vous nous avez retenu[16] deux chambres doubles. Auriez-vous
l'obligeance de rectifier la réservation et de me confirmer la
modification par retour du courrier ?

Réponse

Nous vous remercions de votre lettre par laquelle vous nous
signalez une erreur de réservation de notre part.
Nous avons rectifié et retenu cette fois deux chambres individuelles.
Nous vous prions de bien vouloir nous excuser du malentendu.
En attendant de vous accueillir...

1. **spent,** notez l'emploi du prétérit pour une action passée et·
   datée : lorsque le voyageur écrit cette lettre il est de retour
   chez lui.
2. **on returning, on** + gérontif marque l'instant précis d'une
   action, var. **as soon as I returned home.**
3. **had lost,** le plus-que-parfait indique dans le passé l'antériorité
   d'une action par rapport à une autre.
4. **I believe,** var. **I think** ; **I believe** est beaucoup moins affirmatif
   que **I think** : *je crois avoir laissé* mais je n'en suis pas
   absolument certain.
5. **may have left,** la présence de l'auxiliaire modal **may** est
   justifié par l'incertitude du signataire : il se peut que, il est
   possible que... Le verbe qui suit, **have left,** est à l'infinitif
   passé, temps qui marque à nouveau l'antériorité de l'action.
6. **worth,** employé comme substantif est synonyme de :
7. **value,** l'expression **to be worth** + verb **-ing** a pour sens
   valoir la peine de. **Ex.** : **it is worth sending it** : *cela vaut la
   peine de l'envoyer* ; également : **it is not worth it** : cela n'en
   vaut pas la peine.
8. **staff,** mot collectif, toujours au singulier : le personnel.
9. **to come across,** var. **to find.**
10. **to send on,** la particule adverbiale **on** après le verbe **to send**
    ajoute la notion de *faire suivre* à celle d'envoyer.
11. **meet,** qui a pour sens général *rencontrer* prend ici le sens de
    répondre, faire face à.
12. **hand in,** plus précis que le verbe **to give.**
13. **on receipt of,** on + substantif, variante de **on receiving.**
14. **for it to be despatched,** en règle générale, le locuteur anglo-
    saxon évite l'emploi du subjonctif et utilise de préférence
    cette structure où l'objet **it** (reprenant **letter**), devient sujet
    de l'infinitif **to be (despatched).** Variante de la traduction en
    français : *j'ai fait le nécessaire pour qu'elle soit envoyée.*
15. **best intentions,** clôture quelque peu démodée m. à m., *soyez
    assuré de nos meilleures intentions.*
16. **we have been booked,** remarquez le passif **have been,**
    caractéristique du style impersonnel.

1. We regret that we have to complain about the quality of . . . . .
2. Unless we receive a satisfactory reply to our complaint, we shall be obliged to take legal action.
3. You have charged for/sent . . . . instead of . . . . .
4. As your will no doubt understand we were very disappointed to find the rooms dirty.
5. Bill me for the cost of returning the . . . . to me (US).
6. The house has a 4-star classification in your list but we felt many of the facilities were not up to standard.
7. Upon inquiry we found that there must have been some misunderstanding on your side.
8. We must ask you to accept our apologies for any trouble caused by the error.
9. We can assure you that this will not happen again.
10. We are sorry to learn that you were disatisfied with . . . . .
11. We have looked into the matter of your complaint...

---

1. Nous avons le regret de devoir exprimer notre mécontentement au sujet de la qualité de . . . . .
2. Au cas où nous ne recevrions pas de réponse satisfaisante à notre réclamation, nous nous verrions obligés d'engager une procédure juridique.
3. Vous nous avez facturé, expédié . . . . au lieu de . . . . .
4. Vous comprendrez sans peine notre déception lorsque nous avons constaté que les pièces n'étaient pas propres.
5. Je prendrai en charge les frais de retour de . . . . à mon domicile.
6. La maison est classée 4 étoiles dans votre liste mais nous avons estimé que de nombreuses prestations n'étaient pas conformes à cette catégorie.
7. Après avoir procédé à une enquête, nous avons constaté qu'il y a sans doute eu erreur de votre part.
8. Nous vous prions d'accepter nos excuses pour tout inconvénient que cette erreur a pu occasionné.
9. Soyez assuré qu'un tel incident ne se reproduira plus.
10. Nous avons été désolés d'apprendre votre mécontentement au sujet de . . . . .
11. Nous avons examiné l'objet de votre réclamation...

LETTRE DE RÉCLAMATION - LOCATION

Votre agence, à laquelle nous nous étions adressés pour une location de vacances, nous avait recommandé un châlet à Carlis. A notre arrivée, nous avons été très surpris de constater que les lieux ne correspondaient en aucun point à la description qui nous en avait été faite et je tiens par cette lettre à exprimer mon plus vif mécontentement. Les pièces exiguës n'offraient qu'un confort rudimentaire, l'équipement de la cuisine et l'installation sanitaire, des plus vétustes, étaient en mauvais état de fonctionnement. J'estime donc que le prix de la location qui s'élevait à £ . . . . pour 3 semaines que nous avons passées dans ce châlet n'était absolument pas justifié. Je vous prierais instamment de bien vouloir intervenir auprès du propriétaire afin que celui-ci remédie à cet état de choses vraiment regrettable.

Recevez, Monsieur, mes salutations distinguées.

Nous vous accusons réception de votre lettre du . . . . par laquelle nous vous faites part de votre insatisfaction au sujet de votre séjour au châlet à Carlis.
Après avoir contacté le propriétaire et vérifié avec lui l'état des lieux nous avons en effet constaté que le châlet avait subi certaines dégradations lors de la location à long terme qui précédait immédiatement votre séjour. Nous avons demandé au propriétaire de faire le nécessaire dans les plus brefs délais et, en vous présentant toutes nos excuses pour cet incident nous vous proposons en dédommagement de l'inconfort, une réduction de 20 % sur le montant de la location ou sur une location ultérieure. Je souhaite que cette proposition vous convienne et je vous prie...

RÉCLAMATION - ACHAT PAR CORRESPONDANCE

J'ai le regret de vous faire savoir que je ne suis pas entièrement satisfaite de l'envoi des deux pulls Shetland que vous m'avez expédiés, suite à ma commande en date du 29 mars. J'avais en effet spécifié le coloris rouille pour ces deux articles ; or, je reçois deux pulls couleur beige. De toute évidence il y a une erreur de votre part et vous voudrez bien en conséquence effectuer le plus rapidement possible le remplacement. Je vous retourne les deux articles non conformes à la commande et vous serais obligée de me dédommager des frais d'envoi.

LETTER OF COMPLAINT - A LET

In response to our inquiry [1] your agency
recommended a châlet at Carlis to us for a holiday
let. I am writing [2] to you now to complain most
strongly [3].
On arriving at the châlet we were surprised [4] to
discover that the property did not in any way
conform to the [5] description you gave of it. The
small [6] rooms had only rudimentary furnishings.
The plumbing in the kitchen and bathroom was
very old and worked badly [7].
I therefore feel that the rent of £ .... for the
3 weeks we spent in the châlet was completely
unjustified [8]. I must ask you to contact the owner
in order that this unsatisfactory state of affairs may
be remedied.

We acknowledge receipt of your letter of ....
expressing your dissatisfaction with your stay in
the châlet at Carlis.
We have contacted the owner and examined the
condition of the property. It appears [9] that the châlet
had [10] been damaged during the preceding long let.
We have therefore asked the owner to carry out the
necessary improvements as soon as possible and
must ask you to accept our apologies for this
unfortunate experience [11].
We are prepared to [12] offer a 20 % reduction on the
rent for the 3 weeks or on a future booking as
compensation for your inconvenience.
I do hope [13] that this offer will meet with your
approval.

COMPLAINT - MAIL ORDER PURCHASE

I am writing [14] to inform you that I am not
completely satisfied with the two Shetland pullovers
that you sent following my order of 29 March.
I had specified russet for the color of the two
articles. I [15] received two beige pullovers. It would
appear that there has been an error on your part
and I would be obliged if you would supply
replacements as soon as possible.
I am returning the pullovers and would be obliged
if you would reimburse the cost of postage.

1. **our inquiry,** traduit tout le membre de phrase : *à laquelle nous nous étions adressés...*
2. **I am writing,** l'approche anglo-saxonne est plus directe : le correspondant entre tout de suite dans le vif du sujet.
3. **most strongly,** var. in the strongest terms.
4. **surprised,** var. disagreeably surprised.
5. **conform,** to resemble, *inadéquat* ici, marquerait la ressemblance d'aspect entre deux objets.
6. **small,** rend imparfaitement la nuance de l'adjectif *exiguë*.
7. **worked badly,** var. was in a bad state of repair.
8. **unjustified,** var. was excessive.
9. **it appears,** var. it would appear.
10. **indeed,** ajouté à la phrase, aurait pour sous-entendu que le bien fondé des réclamations a été mis en doute, éviter dans ce contexte tout forme d'insistance.
11. **experience,** var. episode.
12. **we are prepared to,** var. we would like to.
13. **I do hope,** notez la présence à l'affirmative de l'auxiliaire **do** qui supporte l'accent de la forme d'insistance. Cette tournure est plus polie que le simple I hope.
14. On ne traduira pas ici par I regret qui est souvent réservé pour les mauvaises nouvelles : I regret to tell you that your dog is dead.
15. Remarquez le ton abrupt que donne en anglais une succession de phrases courtes, ton qui peut être adouci en reliant les deux phrases par **but** : but I received.

LE DEGRÉ DE POLITESSE DANS LES RÉCLAMATIONS

- **I feel I must complain about...**
  Je me permets d'attirer votre attention sur...

- **I wish to complain most strongly about...**
  J'ai le regret de devoir vous dire que...

- **I must complain in the strongest terms about...**
  Je tiens à vous exprimer mon plus vif mécontentement...

Retrouver l'équivalent anglais
des mots et expression ci-dessous :

	Corrigé :
1. accuser réception.	1. **to acknowledge receipt.**
2. rectifier.	2. **to amend.**
3. appartenir à.	3. **to belong.**
4. facturer.	4. **to bill.**
5. femme de ménage, agent de service.	5. **cleaner.**
6. se plaindre, présenter une réclamation.	6. **to complain, to make a complaint.**
7. endommagé.	7. **damaged.**
8. déçu.	8. **disappointed.**
9. mécontent.	9. **dissatisfied.**
10. amélioration.	10. **improvement.**
11. poursuites judiciaires.	11. **legal action.**
12. commande.	12. **order.**
13. vente par correspondance.	13. **mail order.**
14. emballage.	14. **packing.**
15. frais d'envoi.	15. **postage ; forwarding expenses.**
16. achat.	16. **purchase.**
17. reçu.	17. **receipt.**
18. le personnel.	18. **the staff.**
19. ennui(s).	19. **trouble(s).**
20. dès réception de votre lettre.	20. **on receipt of your letter.**
21. erreur, malentendu.	21. **error, misunderstanding.**
22. engager des poursuites.	22. **to take legal action.**
23. propriétaire.	23. **owner.**
24. dédommagement.	24. **compensation.**
25. bague.	25. **ring.**
26. l'adresse indiquée ci-dessus.	26. **the above address.**
27. cela n'en vaut pas la peine.	27. **it is not worth it.**
28. après avoir procédé à une enquête (des recherches).	28. **upon inquiry.**
29. location de vacances.	29. **holiday let.**
30. dans les plus brefs délais.	30. **as soon as possible.**
31. séjourner.	31. **to stay.**
32. régler les frais, dédommager des frais	32. **to meet the expenses.**

A. Traduire

1. Je tiens à vous signaler que je n'ai pas encore reçu ma commande du 12 avril. **2.** Nous avons été surpris de constater une erreur dans la facture. **3.** Nous sommes vraiment désolés d'apprendre que vous n'êtes pas satisfait de nos articles. **4.** Nous vous prions d'accepter toutes nos excuses pour cette erreur des plus regrettables. **5.** Je vous demande donc de me rembourser des frais que ce malentendu a occasionnés.

B. Traduire

Monsieur,
Je vous ai écrit il y a 15 jours pour retenir une chambre double dans votre hôtel. Je suis étonné de n'avoir pas encore eu confirmation de la réservation.
Si votre établissement est complet, vous voudrez bien avoir l'amabilité de m'en avertir au plus vite.

Corrigé

A.
1. I must complain strongly that I have not yet received my order of 12 April. **2.** We were very surprised to notice an error on the invoice. **3.** We are very sorry to learn that you were not satisfied with our articles. **4.** We must ask you to accept our apologies for this most unfortunate error. **5.** I would therefore ask you to reimburse the expenses that this misunderstanding has caused.

B.
Dear Sir,
A fortnight ago I wrote (to) you to reserve a double room in your hotel. I am surprised not to have received confirmation of the reservation yet.
If your hotel is fully booked please let me know as soon as possible.

VII

APPOINTMENTS

REPLIES TO REQUESTS FOR APPOINTMENTS

Rendez-vous

Réponses à des demandes de rendez-vous

On sollicite un rendez-vous et
on reçoit la réponse.

GENERAL-REQUEST FOR AN APPOINTMENT
(American)

Dear Mr Schaeke :
I should very much like to discuss a number of
important questions concerning your company with
you. I shall be in El Paso from the 17 through
21 August and wondered if you would be free some
time during that period ? My timetable is fairly
flexible, if you would like to propose a time and
date I am sure they will be suitable.
Sincerely yours,

REPLY FROM A SECRETARY
Dear Sir,
Mr Schaeke thanks you for your letter of . . . . and
has asked me to suggest an appointment on the
19th at 11 am.
Please let me know whether this is acceptable.
Yours faithfully,

Secretary to Mr Schaeke.

PROSPECTION

Dear Sir :
I am carrying out a survey of North Carolina and
shall be visiting . . . . during the week of 12 through
19 February. I would be very happy if we could
meet while I am there. Your advice and experience
would be invaluable in helping me to complete my
survey.
Yours faithfully,

REPLY
Dear Mr . . . .
Thank you for your letter of . . . . . I would be most
happy to meet you while you are in the area.
Unfortunately, my timetable is very full during the
period you mention. The only time I can offer is
5pm on Tuesday 18 February. I wonder whether
this would suit ?
Yours sincerely,

GENERAL - DEMANDE DE RENDEZ-VOUS

Cher Monsieur [1],

Je serais très désireux de discuter [2] avec vous d'un certain nombre de questions importantes relatives à votre société. Je serai à El Paso du 17 au 20 août [3] peut-être seriez-vous libre un moment pendant cette période [4] ? Mon emploi du temps est assez [5] souple et la date et l'heure que vous proposerez seront les miennes [6]. Veuillez agréer [7]...

Réponse d'une secrétaire

Monsieur,

Je vous remercie de la part de Monsieur Schaeke de votre lettre du ... , et à sa demande, je peux vous proposer un rendez-vous le 14 à 11 h. Je vous serez obligée de me faire savoir si cela est susceptible de vous convenir [8].

Madame ....
Secrétaire de M. Schaeke.

PROSPECTION - ÉTUDE DE MARCHÉ

Monsieur,

Je suis en train d'effectuer une enquête [9] en Caroline du Nord et serai à .... pendant une semaine, du 12 au 19 février. Je serais enchanté de pouvoir vous y rencontrer. Vos conseils [10] et votre expérience [11] me seraient précieux pour achever [12] cette étude.

Réponse

Je vous remercie de votre lettre du ..... Je serais très heureux de vous rencontrer pendant votre séjour dans notre région. Malheureusement, mon calendrier est très chargé pour la période en question et la seule date que je puisse suggérer est le mardi 23 à 17 h. Cela vous conviendrait-il [13] ?

1. **Dear Mr Schaeke :** Remarquez que pour une lettre de ton peu formel, le correspondant anglo-saxon utilisera le nom de famille du destinataire. Notez les « : » en anglais américain.
2. **to discuss,** est un verbe transitif en anglais.
3. **through** ou **thru** qui est plus familier. En anglais britannique on trouverait **to 21 August** ou **through to 21 August**.
4. La tournure indirecte **wondered if you would be free** est plus polie que la question directe. **I wondered if/whether** (m. à m. *je me demande si....*) est souvent employé dans les requêtes.
5. **fairly,** var. quite.
6. Traduction libre ; m. à m. *si vous voulez proposer une date et une heure je suis sûr qu'elles me conviendront.*
7. **Sincerely yours,** clôture en anglais américain à la place du **Yours sincerely** britannique.
8. **acceptable,** notez le suffixe - **able** : *qui peut convenir* donc *susceptible de vous convenir, à votre convenance.*
9. **survey,** terme très général souvent défini par un autre mot : **market survey,** *étude du marché.*
10. **advice,** nom collectif, toujours au singulier. *Un conseil :* a piece of advice.
11. **experience,** traduit ici par *votre expérience* signifie dans d'autres contexte *les expériences.*
12. **complete,** var. carry out.
13. **suit :** *convenir,* employé du haut vers le bas dans la voie hiérarchique, est assez direct. Ne pas employer cette formule si l'on demande une faveur ; dans ce dernier cas, on écrira : **I wonder whether this would be convenient.**

CIRCULAIRE, CARTE DE VISITE D'UN REPRÉSENTANT

Mr Samuel Snooks, representing Peate & Dolé, Meter Division, is in your area and hopes to have the pleasure of calling on you to present the new product range on the . . . . .   `.

Monsieur Samuel Snooks, représentant la maison Peate & Dolé, Division Compteurs, se trouve dans votre région et espère avoir le plaisir de vous rendre visite le . . . . pour vous présenter sa nouvelle gamme de produits.

1. When we met at . . . . you suggested that I might contact you when I came to . . . . .
2. Following your inquiries about our products and services...
3. I expect to be in your area from . . . . to . . . . and will telephone to arrange a meeting.
4. I think a meeting would be very profitable to both of us.
5. Sometime in the morning of the 14th would be most suitable, but I also expect to be free on the 15th.
6. I am happy to confirm the date and time you suggest for a meeting.
7. I very much look forward to our meeting.
8. I wondered whether I could meet you on the 14 or 15 November ?
9. I would welcome the chance of talking things over personally with you.
10. If you would suggest a time I would be happy to arrange my appointments to fit.
11. I should very much like to discuss a matter which I think will interest you.

1. Lors de notre rencontre à . . . . , vous avez suggéré que je vous contacte au cours de ma prochaine visite à . . . .
2. Suite à votre demande de renseignements sur les produits et les services que nous offrons . . . .
3. Je dois me rendre dans votre région du . . . . au . . . . et vous téléphonerai pour organiser un rendez-vous.
4. Je crois qu'un entretien nous serait des plus profitables à l'un comme à l'autre.
5. Le 14 au cours de la matinée me conviendrait parfaitement, mais je pense être libre aussi le 15.
6. J'ai le plaisir de vous confirmer la date et l'heure suggérées par vous pour un entretien.
7. Je serais enchanté de vous rencontrer.
8. Peut-être pourrais-je vous voir le 14 ou le 15 novembre.
9. Je serais très heureux d'avoir l'occasion d'en discuter avec vous personnellement.
10. Si vous vouliez proposer une heure, je serais heureux d'organiser mes rendez-vous en conséquence.
11. Je désirerais parler d'une question qui, je pense, vous intéressera.

UN REPRÉSENTANT CONTACTE UN NOUVEAU CLIENT

Monsieur,
Je vous remercie de votre demande de renseignements sur la machine BK707 que nous venons de sortir cette année. Je dois me rendre dans votre pays du 14 au 30 septembre ; je serais très heureux de vous donner une démonstration pratique de notre nouveau modèle et de discuter de ses avantages. Je vous serais très obligé de bien vouloir me faire savoir la date et l'heure où je pourrais me présenter à votre bureau.

Réponse positive

Monsieur,
Nous vous remercions de votre lettre du 30 août par laquelle vous nous demandez de vous fixer rendez-vous. J'ai le plaisir de vous informer que je pourrai vous recevoir le mardi 14 septembre à 15 h. En attendant votre visite, je vous prie d'agréer, Monsieur, mes salutations distinguées.

Réponse négative

Suite à votre lettre du 30 août nous regrettons de vous faire savoir qu'il ne nous sera pas possible de recevoir votre visite ; nous restons pourtant intéressés par votre offre et ne manquerons pas de vous contacter ultérieurement pour convenir d'un nouveau rendez-vous.

DEMANDE DE RENDEZ-VOUS

Lors d'une correspondance échangée il y a quelques mois, vous avez suggéré que je vienne vous voir au cours d'une prochaine visite à . . . . . Je serai précisément dans votre région à partir de lundi. Si vous pouviez m'accorder quelques instants je serais heureux d'organiser mon emploi du temps en fonction de notre rendez-vous.

PROPOSITION DE RENDEZ-VOUS
A UN DIRECTEUR DE BANQUE

Monsieur,
Nous étudions les possibilités d'implantation d'une usine de . . . . dans votre région et je serais désireux d'avoir un entretien sur certains aspects financiers. Mardi 18 mai à 11 h serait-il à votre convenance ?

A SALESMAN CONTACTS A NEW CUSTOMER [1]

Dear Sir,
Thank you for your request for information [2] on the
BK707 [3] which we brought out [4] this year. I will be
coming to your country from 14 to 30 September
and would be very happy to give you a demonstration
of our new model and show you its advantages.
Please let me know a date and time [5] when I could
come to your office [6].

REPLY *(positive)*
Dear Sir,
Thank you for your letter of 30 August asking for
an appointment. I could meet you on Tuesday
14 September at 3pm.
Looking forward to your visit [7].

REPLY *(negative)*
Following your letter of 30 August we are sorry to
inform you that we will be unable to meet you.
However, we are still interested in your proposition
and will not fail to contact you later [8] to arrange [9] a
new appointment.

REQUESTING AN APPOINTMENT
(American)

When we corresponded several months ago you
suggested that I drop in [10] to see you next time I
came to . . . . . I find [11] that I will be in your area
from Monday next, if you can spare me a few
minutes next week I'll be [12] glad to make my plans
accordingly.
Sincerely yours,

SUGGESTING A MEETING
WITH A BANK MANAGER

Dear Sir,
We are examining the possibility [13] of setting up [14] a
factory in your region, I would like to discuss some
of the financial aspects of the project with you.
Would Tuesday the 18th May at 11 am be
convenient ? [15]

1. **customer : client** serait employé dans le milieu financier.
2. **information,** nom collectif, toujours au singulier, un renseignement = **a piece of information.**
3. **BK707,** notez l'omission de **machine** qui ajouté ici serait
   beaucoup trop vague — doit être défini par un autre mot
   drilling machine, pressing machine, etc.
4. **brought out, vb. to bring out,** var. **to launch.** ne pas traduire
   par **to produce** qui sous-entend production en série.
5. **a date and time,** attention à l'emploi de l'article défini en
   anglais qui ici ne conviendrait pas. **The** ayant une valeur
   démonstrative impliquerait qu'il n'y a qu'une seule date qui
   convient, **a** au contraire ouvre un large choix.
6. **I could come to your office,** var., **when it would be**
   convenient for me to come to your office (plus poli) ou
   when I could come and see you (moins formel).
7. **Looking forward to your visit,** donne en anglais un ton
   familier à la lettre et sera peut-être omis.
8. **later,** var., **at a later date,** qui se place de préférence en fin
   de phrase.
9. **to arrange,** var., **to agree,** ne pas traduire par **to fix** qui
   serait beaucoup trop familier.
10. **to drop in,** remarquez le style américain beaucoup plus
    détendu que le ton des lettres anglaises ou françaises **to**
    drop in en anglais britannique a le sens de *faire un saut* chez
    quelqu'un, et serait tout à fait déplacé dans ce contexte.
11. **I find that,** *il se trouve que,* var., **it happens that, it so**
    happens that.
12. **I'll be glad,** en anglais britannique les contractions sont
    proscrites des lettres administratives ou commerciales et ne
    sont employées que dans les échanges entre amis ou proches.
    L'américain au contraire les utilise plus souvent pour les lettres
    formelles.
13. **possibility,** notez le singulier.
14. **setting up,** à éviter **implantation,** trop abstrait dans ce
    contexte.
15. **convenient,** a une nuance de requête qui n'existe pas dans
    would this suit ?

Retrouver l'équivalent anglais
des mots et expressions ci-dessous :

		Corrigé :
1.	rendez-vous.	1. appointment.
2.	conseils.	2. advice.
3.	rendre visite à quelqu'un.	3. to call on somebody.
4.	achever, terminer.	4. to complete.
5.	commode, qui convient.	5. convenient, suitable.
6.	souple.	6. flexible.
7.	gamme (de produits, de services).	7. range.
8.	emploi du temps, calendrier.	8. timetable.
9.	étude.	9. study, survey.
10.	effectuer une enquête.	10. to carry out a survey.
11.	malheureusement.	11. unfortunately.
12.	achever une étude.	12. to complete a survey.
13.	demande de renseignements.	13. inquiry.
14.	regrettons de vous faire savoir.	14. we are sorry to inform you.
15.	demande de rendez-vous.	15. request for an appointment.
16.	un entretien.	16. interview, meeting.
17.	pouvez-vous m'accorder quelques instants ?	17. could you spare me a few minutes ?
18.	faites-moi savoir si...	18. Please let me know whether...
19.	est-ce que cette heure vous convient ?	19. Is the time convenient to you ?
20.	suggérer.	20. to suggest.
21.	société (commerciale).	21. company (attention : society impliquerait une association à but non lucratif).
22.	implanter (créer une entreprise).	22. to set up.
23.	usine.	23. factory.
24.	être intéressé par quelque chose.	24. to be interested in something.
25.	à une date ultérieure.	25. at a later date.
26.	je serais heureux d'avoir l'occasion de...	26. I would welcome the chance / the opportunity of...
27.	discuter d'une question.	27. to discuss a matter, to talk a matter over.

A. Compléter les phrases suivantes en choisissant les éléments proposés :
arrange ; unable ; to call on ; at a later date ; timetable.
1. We are sorry to inform you that we are .... to meet you. **2.** Could you .... a meeting with my secretary ? **3.** I am a very busy man, my .... is full for the next few days. **4.** We shall contact you .... **5.** I wondered if I could .... you some time next week.

B. Corriger l'exercice (A) puis traduire en français

C. Traduire en anglais :
1. J'ai le plaisir de vous faire savoir que Mr McPhee vous recevra lundi 10 septembre à 15 heures. **2.** Cette date vous conviendrait-elle ?

A. 1. unable. **2.** arrange. **3.** timetable. **4.** at a later date. **5.** call on.

B.
1. Nous avons le regret de vous informer qu'il nous sera impossible de vous recevoir. **2.** Vous voudrez bien convenir d'un rendez-vous avec ma secrétaire. **3.** Je suis très occupé, mon emploi du temps est complet pour les jours prochains. **4.** Nous prendrons contact avec vous ultérieurement. **5.** Serait-il possible que je vous rende visite au cours de la semaine prochaine ?

C.
1. I am pleased to inform you that Mr McPhee will receive you on Monday 10 September at 3pm. **2.** Would this date suit ? ou, dans une requête, Would this date be convenient to you ?

VIII

LETTERS OF INTRODUCTION
AND REPLIES

Lettres d'introduction
et réponses

On sollicite une lettre de recommandation, on établit un contact en se recommandant de
quelqu'un, on recommande un
collègue. Réponses des correspondants.

USING SOMEONE'S NAME TO OBTAIN AN INTERVIEW

Dear Mr Fritting,
Monsieur Deblieck, whom I believe you know, has
suggested that you might be willing to help me
investigate the possibilities of commercial
development in your region. I expect to be in . . . .
from 12 to 14 March and would be grateful if I
could meet you while I am there.
Yours sincerely,

REPLY

I was interested to receive your letter concerning
future developments in our region. I note that you
will be free on Tuesday and Wednesday. Might I
suggest that we meet on the morning of the 13th ?
Please convey my best wishes to Mr Deblieck.

USING ONE'S INFLUENCE TO HELP A FRIEND

Dear Mr Gort,
A friend of mine, Michel Machto, would very much
like to meet you while he is travelling through
Central Scotland. He is at present looking at the
possibility of writing a book on luxury goods and
wishes to gain knowledge of local conditions. I think
you would be interested to meet Michel and know
you could give him a lot of help and advice. I would
appreciate it if you could find time to see him
although I know you have a very busy schedule.
Yours very sincerely.

REPLY

Dear Peter,
I will do what I can to help Michel Machto, as you
say, his project sounds interesting. Have him ring
me when he lands.
I hope you are well.
Francis Gort.

OBTENIR UN RENDEZ-VOUS
EN SE RECOMMANDANT DE . . . .

Cher Monsieur,
Monsieur Deblieck, que vous connaissez je crois, a suggéré que vous pourriez [1] peut-être [2] m'aider à examiner les possibilités de développement commercial dans votre région. Je dois [3] me rendre à . . . . du 12 au 14 mars et vous serais très obligé de bien vouloir me recevoir [4] pendant mon séjour dans votre ville.

Réponse

J'ai lu avec intérêt votre lettre ayant trait aux projets de développement dans votre région. Je remarque que vous serez libre mardi et mercredi : vous proposerais-je [5] la matinée du 13 pour notre entretien [6]?
Transmettez, [7] je vous prie, mon meilleur souvenir à M. Deblieck.

RECOMMANDER UN AMI

Cher Monsieur,
Michel Machto, qui est un de mes amis, serait très désireux de vous rencontrer au cours des déplacements qu'il effectue en ce moment dans le centre de l'Écosse. Il est en train d'étudier [8] la possibilité d'écrire un ouvrage sur les articles de luxe et voudrait se familiariser [9] avec le marché de la région. Je crois que vous trouveriez cet entretien des plus intéressants [10] et je suis certain que vous pourriez lui apporter aide et conseils. Je sais que vous êtes très pris [11] mais vous me feriez [12] une grande faveur si vous trouviez un moment pour le recevoir.
Recevez [13], cher Monsieur, mes cordiales salutations,

Réponse

Cher Peter,
Je ferai tout ce qui est possible pour aider Michel. Comme vous dites, son projet paraît [14] intéressant. Qu'il me téléphone [15] à son arrivée à l'aéroport. [16]
J'espère que vous allez bien.

1. **be willing (to help),** l'expression est souvent traduite par l'adverbe volontiers, m. à m. *que peut-être vous m'aideriez volontiers.*

2. **might,** remarquez la tournure personnelle **you might :** auxiliaire modal marquant la supposition et traduit en français par *peut-être.*

3. **I expect,** var., I have to.

4. **If I could meet you,** *si je pouvais vous rencontrer.*

5. **Might I suggest,** la présence de **might** ici transforme la question en requête de ton très urbain quoique de style un peu vieillot ; m. à m. *Me permettrai-je de suggérer ?*

6. **meet,** remarquez le temps du verbe après **suggest that.** Meet est ici une forme du subjonctif à la 3e personne : **I suggest that she meet me.**

7. **convey,** var., **send, give.**

8. **looking at,** notez le sens très fort du verbe dans ce contexte traduit en français par étudier.

9. **gain knowledge,** m. à m. *gagner des connaissances* (know-ledge est toujours au singulier).

10. **you would be interested to meet M. . . . .** m. à m. *vous seriez intéressé de rencontrer M.*

11. **schedule** (US) **timetable** (GB) également le verbe **to schedule** = *programmer.*

12. **I would appreciate it,** m. à m. *je l'apprécierais.*

13. **Yours very sincerely,** var., **Yours truly,** très employé en américain. Ces deux clôtures indiquent un certain degré de familiarité entre les correspondants.

14. **sounds,** var., **seems to be, sounds** étant de style plus relâché.

15. **have him ring me,** tournure typiquement américaine très directe : **have** à l'impératif + objet + verbe à l'infinitif sans **to** ; En anglais britannique on trouverait : **tell / ask him to ring me.** Toujours en anglais britannique, on aura avec un tout autre sens la construction **have** + objet + p. passé : **he had his meetings cancelled** = *il a fait annuler ses rendez-vous.*

16. **to land,** littéralement *atterrir.*

1. On the recommendation of Mr .... I am writing to ask whether you would .....
2. I enclose a letter of introduction which Mr .... very kindly gave me for you.
3. We would be only too pleased to perform a similar service for you should the opportunity arise.
4. Mrs George has asked me to write a letter of recommendation. This I am very glad to do.
5. I would greatly appreciate the opportunity of meeting you.
6. I would be very grateful if you would let me use you name in order to get an interview.
7. I should be most grateful if you could give .... any help or advice he may need.
8. The bearer of this letter, Jean Semoulet, is a friend of mine who is visiting your city on business. Anything you can do to help him would be greatly appreciated by your former colleague Jean Rivet.

---

1. C'est sur la recommandation de M. .... que je vous écris pour vous demander de bien vouloir .....
2. Ci-joint une lettre de recommandation que M. .... a eu l'amabilité de me remettre.
3. C'est avec plaisir que nous vous rendrons le même service si l'occasion se présente.
4. Madame George m'a demandé d'écrire une lettre de recommandation, ce que je fais avec plaisir.
5. Vous me feriez une grande faveur si vous me permettiez de venir vous voir.
6. Je vous serais reconnaissant de me permettre de mentionner votre nom afin d'obtenir un rendez-vous.
7. Je vous serais très reconnaissant de bien vouloir apporter à .... l'aide et les conseils dont il pourrait avoir besoin.
8. Le porteur de cette lettre, Jean Semoulet, qui est un de mes amis, est en voyage d'affaires dans votre ville. Vous feriez à votre ancien collègue Jean Rivet une grande faveur en faisant tout ce qui est en votre pouvoir pour l'aider.

LETTRE D'INTRODUCTION A UN ANCIEN COLLÈGUE

Cher Bill,

J'ai le plaisir de vous recommander Jean Dutout qui a été pour moi un collaborateur très efficace dans un certain nombre de négociations difficiles. Il étudie à présent les réseaux de distribution de votre région. Vous seriez très aimable et vous lui feriez une grande faveur si vous pouviez lui accorder une entrevue. Je suis sûr en effet que votre expérience lui serait des plus utiles.

Croyez, Cher Bill, à mon amical souvenir.

Réponse

Monsieur,

John Lee, avec qui j'ai travaillé longtemps, m'a contacté au sujet d'un entretien que vous souhaiteriez avoir avec moi. C'est avec plaisir que je mettrai à votre disposition tous documents et renseignements nécessaires à votre projet. Ma secrétaire, à qui vous voudrez bien téléphoner, conviendra avec vous d'un rendez-vous.

En attendant de faire votre connaissance, recevez, Monsieur, mes salutations les plus distinguées.

DEMANDE DE RECOMMANDATION

Cher Monsieur,

Vous m'avez dit un jour, il me semble, que M. Carter, directeur de la société Fixtool, était de vos amis. Je sais qu'il est très difficile d'obtenir un entretien, et je vous serais infiniment reconnaissant si vous pouviez appuyer ma demande par un mot de recommandation auprès de lui.

Avec mes remerciements anticipés, veuillez agréer, cher Monsieur, l'assurance de mes meilleurs sentiments.

LETTER OF INTRODUCTION TO A FORMER COLLEAGUE

Dear Bill,
This is to introduce Jean Dutout who worked [1] with
me on a number of difficult negotiations and showed
great talent. [2] He is now working on a study of the
distribution networks in your region.
I would very much appreciate it if you could spare
the time to see him as I am sure your experience
would be most [3] valuable.
Best regards. [4]

REPLY

Dear Sir,
John Lee, whom I worked with for a long time [5],
has mentioned that you would like to meet me. [6] I
would be happy to make available [7] any documents
and information necessary for your project. If you
will [8] get in touch with my secretary, she will
arrange a meeting. [9]
I look forward to meeting you. [10]

REQUESTING A LETTER OF INTRODUCTION

Dear Mr Simes,
I believe you mentioned once that Mr Carter,
Manager of (Chairman of) Fixtool plc [11] was one of
your friends. I know it is very difficult to meet
Mr Carter. I would be extremely grateful if you
could help me by recommending me to him.
Thank you in advance,

1. **worked,** l'américain, toujours concis, emploie systématiquement le prétérit pour toute action passée même non datée comme c'est le cas ici. L'anglais utiliserait de préférence le present perfect **has worked**. Mais attention : ne pas utiliser ici le present-perfect à la forme en -ing **has been working** qui indiquerait que Jean Dutout continue à travailler avec l'auteur de la lettre.

2. **showed great talent,** m. à m. *a fait preuve de grand talent.*

3. **most,** ici a le sens de **very**.

4. **best regards,** clôt les lettres de ton amical.

5. **whom I worked with for a long time,** remarquez l'emploi du prétérit même avec **for**, qui indique que l'action est totalement passée : au moment où le correspondant écrit, il ne travaille plus avec J. Lee. Au contraire si le verbe avait été **have worked** ou **have been working for a long time,** l'action décrite par le verbe se serait poursuivie dans le présent.

6. **John Lee... me,** autre traduction possible de cette première phrase : **I have been contacted by JL who says you would like to meet me.**

7. **to make available,** var., to give access to...

8. notez **will** et non pas **would**, qui serait employé pour une requête — **will** dans une conditionnelle (c'est le cas ici) n'est pas l'auxiliaire du futur, mais un auxiliaire modal indiquant la volonté : si vous *voulez* téléphoner.

9. **arrange a meeting,** var., **make an appointment for you.**

10. **meeting,** remarquez le gérondif après l'expression **to look forward to** *(attendre un événement),* où **to** n'est pas la marque de l'infinitif mais une préposition.

11. **plc, Public Limited Company,** *société anonyme.*

Retrouver l'équivalent anglais
des mots et expressions ci-dessous :

Corrigé :

1. se présenter (occasion, difficulté).
2. porteur (d'un document).
3. transmettre.
4. exportations.
5. ancien, précédent, antérieur.
6. contacter quelqu'un.
7. examiner (étudier les possibilités, enquêter sur).
8. entretien.
9. présenter (quelqu'un).
10. présentation, introduction.
11. connaissance(s).
12. atterrir.
13. de la région.
14. remarquer.
15. un de mes amis.
16. reconnaissant.
17. ci-joint une lettre de recommandation.
18. articles de luxe.
19. mettre à (la) disposition.
20. réseau.
21. amitiés, souvenir (à la fin d'une lettre).
22. horaire, emploi du temps.
23. programmer (dans le temps).
24. souhaiter.
25. si l'occasion se présente.
26. convenir d'un rendez-vous.
27. faire la connaissance de quelqu'un.
28. avoir trait à.
29. je sais que vous êtes très pris.
30. il est en voyage d'affaires dans votre ville.

1. to arise.
2. bearer.
3. to convey.
4. exports.
5. former.
6. to get in touch with someone.
7. to investigate.
8. interview.
9. to introduce.
10. introduction.
11. knowledge (attention ! ne se pas au pluriel).
12. to land.
13. local.
14. to note.
15. a friend of mine.
16. grateful.
17. I enclose a letter of introduction.
18. luxury goods.
19. to make available ; to supply.
20. network.
21. regards.
22. schedule.
23. to schedule.
24. to wish.
25. should the opportunity arise.
26. to arrange a meeting ; to arrange an interview.
27. to meet someone, to be introduced to someone.
28. to concern.
29. I know you are very busy.
30. he is visiting your city on business.

A. Transformez ces phrases trop directes en requêtes polies en employant les éléments proposés

1. Can you spare the time to see him ? (I / wonder / whether). **2.** I suggest we meet tomorrow. (Might / ?). **3.** Can you help me ? (I / be extremely grateful / if). **4.** Will you read his project ? (I / appreciate it / if). **5.** Can I meet you while I am there ? (I / be pleased / if).

B. Traduire en anglais

1. Vous me feriez une grande faveur de bien vouloir lui téléphoner. **2.** Je vous saurais gré de bien vouloir me recommander auprès de lui. **3.** C'est sur la recommandation de votre ancien collègue Mr Tilly que je joins mon étude à cette lettre.

A.
1. I wondered whether you could spare the time to see him. **2.** Might I suggest we meet tomorrow ? **3.** I would be extremely grateful if you could help me. **4.** I would appreciate it if you could read his project. **5.** I would be pleased if I could meet you while I am there.

B.
1. I would greatly appreciate it if you would give him a ring. **2.** I would be very grateful if you could recommend me to him. **3.** On the recommendation of your former colleague Mr Tilly I enclose my project.

IX

ANNOUNCING ARRIVAL

MODIFYING ARRANGEMENTS FOR A TRIP,

REPLIES

Pour annoncer une arrivée
modifier les dispositions d'un voyage

Réponses

Pour annuler un rendez-vous,
reporter une réunion, annoncer
son arrivée, prévenir d'un
retard...

ANNOUNCING THE TIME OF ARRIVAL

Dear Sir,
Thank you for your letter agreeing to a meeting
while I am in . . . . . . I expect to arrive on the
evening of the 15th, and will telephone you on
arrival to confirm the time for the meeting.
Yours faithfully,

MODIFYING THE ARRANGEMENTS FOR A MEETING

Dear Mr Deplessis,
In my letter of . . . . . I confirmed the suggested
meeting on the 21st October. Unfortunately I am
now obliged to delay my departure and do not expect
to be in . . . . . until the 26th.
I wonder whether you will still be free then, and
would greatly appreciate it if you could agree to
modify our arrangements so that we could meet at
this later date.
Yours sincerely,

REPLIES

Dear Sir,
I was sorry to learn that you have had to delay
your trip. I will be free on the 28th October and
hope that this new date will suit.
Yours faithfully,

Dear Mr Harton :
Thank you for your letter of . . . . . informing me
of the change in your plans. Unfortunately I expect
to be out of the country on the new date you
mention. I hope we shall be able to meet at some
future date.
Sincerely,

POUR ANNONCER L'HEURE D'ARRIVÉE

Monsieur,
Je vous remercie de votre lettre par laquelle vous m'accordez un rendez-vous pendant mon séjour à . . . . . .
Je pense [1] arriver le 15 au soir et vous téléphonerai à mon arrivée pour vous confirmer l'heure [2] de notre rendez-vous.

POUR MODIFIER UN RENDEZ-VOUS PRÉVU

Cher Monsieur,
Dans ma lettre du . . . . . je vous confirmais la date de notre entretien prévu pour le 21 octobre. Malheureusement je me vois désormais obligé de reporter mon départ et ne pourrai [3] me rendre à . . . . . avant le 26.
Auriez-vous l'extrême obligeance [4] de me faire savoir si vous serez toujours libre ce jour-là [5], et si vous accepteriez de modifier notre projet de rendez-vous afin de nous rencontrer à cette date.
Je vous prie d'agréer...

Réponses

Monsieur,
J'ai été désolé d'apprendre que vous avez été obligé de retarder votre voyage [6]. Je serai libre le 28, et dans l'espoir que cette nouvelle date vous conviendra, je vous prie d'agréer...

Monsieur,
Je vous remercie de votre lettre du . . . . . par laquelle vous m'informez que vos projets se trouvent modifiés. Malheureusement, je dois me rendre à l'étranger [7] aux dates que vous suggérez, mais j'espère que nous pourrons [8] nous rencontrer à une date ultérieure.

1. **expect,** verbe courant en anglais, qu'il est difficile de rendre exactement en français. Traduit ici par *penser* il prendra le sens d'*attendre* dans **I am expecting a phone call** ou de *supposer* dans **I expect he will be back in a week.** To expect se référant toujours à une action future ou possible présente une nuance d'incertitude.

2. **time for,** var., **time of.**

3. **do not expect to be,** m. à m. *je ne pense pas être à...*

4. **I wonder whether... and would greatly appreciate,** ces deux formules de politesse ont été traduites par le début de phrase *Auriez-vous l'extrême obligeance de me faire savoir si.* m. à. m. : *je me demande si... et vous me feriez une grande faveur si...* Variante : **Would you be kind enough to let me know whether...** Les rapports entre correspondants sont néanmoins différents ; ici, l'auteur de la lettre fait cette démarche avec autorité, alors que dans le texte il présente une requête.

5. **then,** reprend la date indiquée précédemment.

6. **you have had to delay,** var., **you have been obliged to...** L'auxiliaire modal **have to,** ici au parfait, indique que le locuteur *a dû* retarder son voyage, contraint par des circonstances extérieures à sa propre volonté. **Have to** dans d'autres contextes est employé à certains temps pour **must** *(devoir),* verbe défectif, **I must send him a note** (présent), **I will have to send him a note** (futur).

7. **to be out of the country,** var., **to be abroad,** mais remarquez le sens de **he is out** qui signifierait que la personne est sortie pour quelque temps seulement.

8. **to be able to,** ici au futur simple, est l'équivalent de l'auxiliaire modal **can** *(pouvoir)* qui, défectif, n'a pas de forme à certains temps.

1. I am writing to confirm the arrangements for my trip to . . . . . .
2. I am happy to confirm that my plans for the trip to . . . . . are now finalized.
3. I am now in a position to confirm the details of my visit to . . . . . .
4. Here are the arrangements for the tour of . . . . . .
5. I shall be in . . . . . from . . . . . .
6. I should expect to be in . . . . . from . . . . . .
7. I should arrive at . . . . . on . . . . . .
8. My flight/boat is scheduled to arrive at . . . . . .
9. I shall be flying to . . . . . on flight No AF449 arriving at . . . . . .
10. While I am there my address will be . . . . . .
11. I will be staying at the . . . . . Hotel and wonder if you could have/leave a message for me there.
12. You will be able to contact me at . . . . . .
13. Messages should be addressed to . . . . . .
14. My phone number will be . . . . . .
15. Please call me/give me a ring on arrival
16. I will ring/contact you as soon as I arrive.

---

1. Je vous confirme par ce courrier les détails de mon voyage à . . . . . .
2. J'ai le plaisir de vous confirmer que toutes les dispositions ont été prises pour mon voyage à . . . . . .
3. Je suis maintenant en mesure de vous confirmer les détails de ma visite à . . . . . .
4. Voici ce qui a été convenu pour le circuit de . . . . . .
5. Je serai à . . . . . à partir de . . . . . .
6. Je compte me trouver à . . . . . à compter du . . . . . .
7. Je devrais être/arriver à . . . . . le . . . . . .
8. L'arrivée de mon vol/bateau est prévue à . . . . . .
9. J'arriverai par avion à . . . . . par le vol n° AF449, arrivée prévue à . . . . . .
10. Pendant mon séjour, mon adresse sera la suivante : . . . .
11. Je serai à l'Hôtel . . . . . et vous serais reconnaissant de bien vouloir y laisser un message.
12. Vous pourrez me joindre à . . . . . .
13. Tout message devra être adressé à . . . . . .
14. Voici mon numéro de téléphone . . . . . .
15. Veuillez me téléphoner à votre arrivée.
16. Je vous téléphonerai/joindrai dès mon arrivée.

ANNULATION D'UN RENDEZ-VOUS AVEC EXCUSES

Cher Monsieur,

Lors de notre dernière conversation téléphonique, nous étions convenus de nous rencontrer à l'aéroport de New York dès mon arrivée aux USA. Je n'ai malheureusement pas pu me libérer comme prévu pour de graves raisons familiales qui me retiendront encore quelque temps à Paris. J'espère que le télégramme que je vous ai envoyé vous est parvenu avant votre départ pour New York, et vous prie de m'excuser d'un empêchement bien indépendant de ma volonté. Je pourrai quitter la France à partir du mardi 12 septembre, et vous laisse le choix de la date et du lieu de notre prochain rendez-vous.

En vous renouvelant mes excuses, je vous prie d'agréer...

RÉUNION REPORTÉE A UNE DATE ULTÉRIEURE

Monsieur,

Nous avions fait le projet il y a un mois de nous réunir tous le 25 mai à . . . . pour prendre une décision finale concernant la société XY. Un événement imprévu me contraignant à partir immédiatement pour l'Australie, je vous serais obligé de bien vouloir contacter vos collègues afin de reporter cette réunion à une date ultérieure, de préférence dans le courant de la semaine du 14 au 21 juin.

Je vous remercie de votre compréhension et vous prie d'agréer, Monsieur, mes salutations les plus distinguées,

ARRIVÉE RETARDÉE

Monsieur,

Nous vous confirmons l'arrivée du groupe Amitours pour le 15 mai. Cependant nous avons dû modifier notre itinéraire au dernier moment, et au lieu d'arriver à . . . . en fin d'après-midi comme prévu, nous n'y arriverons qu'en début de soirée vers 20 h.

Recevez Monsieur, l'expression de mes sentiments les meilleurs,

Réponse

Monsieur,

Nous vous remercions de votre lettre du 30 avril par laquelle vous nous informez du changement de votre itinéraire et de l'heure de votre arrivée. Nous avons le plaisir de vous faire savoir qu'exceptionnellement nous garantirons les réservations jusqu'à 21 h.

CANCELLING AN APPOINTMENT WITH EXCUSES

Dear Sir,
When I last spoke to you [1] on the telephone [2] we
agreed to meet at New York Airport on my arrival
in America. Unfortunately serious family problems
prevented me from leaving [3] as expected, and they
will detain me in Paris for some time. I hope that
you received my telegramme [4] before you left [5] for
New York, and hope you will understand [6] that the
non-arrival [7] was due to circumstances beyond my
control. I will be able to leave France from Tuesday [8]
12 September, and leave the choice of the date and
place of our next meeting to you. [9]
Once again, my sincere apologies.

POSTPONING A MEETING

Dear Sir,
A month ago we all agreed to meet on the 25 May
to take a final decision on XY Ltd. An unforeseen [10]
development obliges me to leave for Australia
immediately, and I would be grateful [11] if you would
contact your colleagues in order to postpone the
meeting, if possible until sometime between 14 and
21 June. [12]
Thank you for your understanding.

ARRIVAL DELAYED

Dear Sir,
We confirm the arrival of the group Amitours on
the 15 may. [13] However, we have had to modify our
itinerary at the last minute : instead of arriving at
. . . . in the late afternoon as expected, we will not
arrive until [14] the early evening, at about 8pm.

REPLY

Dear Sir,
Thank you for your letter of 30 April informing us
of the change in your itinerary and the time of
arrival. We are happy to confirm that [15],
exceptionally, we will hold the reservations until
9pm.

1. **when I last spoke to you,** m. à m. *la dernière fois que je vous ai parlé.*
2. **on the telephone,** remarquez l'emploi de la préposition **on** ; également l'expression **to be on the phone** = *1. être au téléphone. 2. avoir le téléphone.*
3. **prevented me from leaving,** m. à m. *m'ont empêché de partir* ; le verbe **to prevent** est suivi de la préposition **from,** elle-même suivie d'un verbe en **-ing,** ici **leaving.**
4. **telegramme** (GB), **telegram** (US).
5. **before you left,** var., **before your departure** ; **before leaving** ne peut pas apparaître ici car il se rapporterait à **I** (hope) et non à **you** (have received).
6. **you will understand,** m. à m. *vous comprendrez.*
7. **that the non-arrival,** traduction plus littérale : **I was prevented from coming owing to...,** tournure qui serait cependant de style plus formel.
8. **from Tuesday,** notez l'emploi de la préposition **from** qui indique l'origine d'une action dans l'espace ou le temps.
9. **leave the choice of... to you,** moins poli que la variante **I leave you to choose.**
10. **unforeseen,** remarquez la construction de cet adjectif : préfixe privatif **un** ajouté au verbe **to foresee** ici sous sa forme du participe passé.
11. **I would be grateful,** var., **I would be obliged,** qui a une nuance de commandement n'apparaissant pas dans **I would be grateful.**
12. **between 14 and 21 June,** traduit *dans le courant de la semaine du 14 au 21* ; var., **some time during the week ending 21 June...**
13. **on the 15 May,** var., **for the 15 May.**
14. **We will not arrive until,** **until** est plus limitatif que **before** ; **they won't arrive until 8 o'clock** signifie qu'ils arriveront à 8 h, ni avant, ni après, alors que : **they won't arrive before 8 h** veut dire qu'ils n'arriveront certainement pas avant 8 h, peut-être à 8 h, plus sûrement après.
15. **to confirm that,** var., **to let you know,** qui serait employé de préférence pour annoncer une décision administrative.

Retrouver l'équivalent anglais
des mots et expressions ci-dessous :

	Corrigé :
1. donner son accord.	1. to agree.
2. être sorti.	2. to be out.
3. être en mesure de.	3. to be in a position to.
4. changement.	4. change.
5. choisir.	5. to choose.
6. retarder.	6. to delay.
7. départ.	7. departure.
8. retenir (retarder).	8. to detain.
9. achever (mettre dans sa forme définitive).	9. to finalize.
10. prendre l'avion, voyager en avion.	10. to fly.
11. téléphoner (donner plusieurs traductions).	11. to telephone, to phone, to call, to ring up, to give a ring.
12. vol (aérien).	12. flight.
13. retard.	13. delay.
14. maintenir, retenir les réservations jusqu'à...	14. to hold (the) reservations until...
15. dérangement.	15. inconvenience.
16. itinéraire.	16. itinerary ; route.
17. faire la connaissance de quelqu'un.	17. to make someone's acquaintance.
18. contraindre.	18. to oblige, to compel.
19. reporter, remettre à plus tard.	19. to postpone.
20. empêcher de.	20. to prevent from.
21. sous peu.	21. shortly.
22. un voyage d'affaires.	22. a business trip.
23. imprévu.	23. unforeseen.
24. reporter son départ.	24. to delay one's departure.
25. malheureusement.	25. unfortunately.
26. être à l'étranger.	26. to be abroad, to be out of the country.
27. à une date ultérieure.	27. at some future date, at a later date.
28. joindre quelqu'un.	28. to contact someone, to get in touch with someone.
29. quitter.	29. to leave.
30. j'ai dû modifier mes projets.	30. I have had (I had) to change my plans, to alter my plans.

A. Traduisez d'anglais en français :

1. I will be in... shortly and will telephone to arrange a meeting when I arrive. **2.** Looking forward to our meeting. **3.** I am sorry to have to cancel the arrangements for the trip. **4.** Please accept my apologies for any inconvenience caused. **5.** I do hope it will still be possible for us to meet. **6.** I hope these developments will not prevent you from calling on us. **7.** I enclose all the information currently available. **8.** I would be very grateful if you could grant her an interview.

B. Complétez :

1. I am looking forward .... seeing you. **2.** He will telephone you .... arrival. **3.** Thank you .... informing me of the change .... your plans. **4.** I hope we shall be able to meet .... some future date. **5.** Family problems prevented me .... leaving .... that day.

Corrigé : A.

1. Je serai à .... sous peu et vous téléphonerai à mon arrivée pour convenir d'un rendez-vous. **2.** Dans l'attente de notre rendez-vous (de vous rencontrer). **3.** Je suis au regret de devoir annuler les dispositions prises pour le (mon) voyage. **4.** Je vous prie d'accepter mes excuses pour tout dérangement ainsi causé (de ce fait). **5.** J'espère vivement qu'il sera toujours possible (qu'il restera possible) de nous rencontrer. **6.** J'espère que ces circonstances ne vous empêcheront pas de nous rendre visite. **7.** Je joins à cette lettre tous les renseignements dont nous disposons actuellement. **8.** Je vous serais très reconnaissant si vous pouviez lui accorder un rendez-vous.

B.

1. to. **2.** on. **3.** for ; in. **4.** at. **5.** from ; on.

X

CANCELLING AN APPOINTMENT,

APOLOGIES

REPLIES

Pour annuler un rendez-vous

Lettres d'excuses,

Réponses

Des événements imprévus (maladie, panne, accident), contraignent à annuler un rendez-vous, à s'excuser pour une absence à une réunion. Réponses compréhensives ou peu aimables. Lettre de rupture.

CANCELLING AN APPOINTMENT

Dear Mr Desage,
A short time ago I wrote to you arranging the date
for our meeting. However, owing to a sudden illness,
I will be unable to travel for several weeks.
I very much regret that it will not be possible for
me to meet you as planned and hope that the sudden
change of plan will not inconvenience you. I will
write to you as soon as I am fit again in order to
arrange a new date.
Yours sincerely,

REPLY

Dear Mr . . . .
I was very sorry to learn that you are ill. I quite
understand that you will be unable to keep our
appointment.
Let me wish you a speedy recovery.
Yours sincerely,
Peter Desage.

ABSENCE
(failure to arrive at a meeting)

Dear Mr Grint,
I am writing to apologize for my failure to keep our
appointment at . . . . on . . . . . This was due to an
accident which prevented me from completing the
journey.
I attempted to reach you through the airport and
through your secretary without success.
I do hope we will be able to meet next time you are
passing through.

A DEAR JOHN LETTER

Dear John,
I really don't know how to break this to you but I
have decided that we should stop seeing each other.
Please understand that this is a decision I have not
taken lightly. Since I am convinced that sooner or
later our relationship will have to come to an end,
it would probably be less painful for both of us if
we broke off now. I will always remember the
wonderful times we had together and hope you will
treasure these memories as I do.   Love,
                                                    Susan

ANNULATION DE RENDEZ-VOUS

Cher Monsieur,
Je vous ai écrit il y a quelques temps [1] pour fixer la date de notre rendez-vous. Malheureusement [2], je suis tombé soudainement malade [3] et ne pourrai voyager pendant quelques semaines. Je regrette infiniment de ne pouvoir vous rencontrer [4] et j'espère que ce changement imprévu dans nos projets ne vous causera pas trop de dérangement. [5] Je vous écrirai à nouveau aussitôt que je serai rétabli [6] afin de convenir d'une nouvelle date.

Réponse

Cher Monsieur,
J'ai été désolé d'apprendre que vous êtes souffrant et je comprends fort bien que vous serez dans l'impossibilité de venir à notre rendez-vous.
Permettez-moi de vous envoyer mes souhaits de prompt rétablissement.

ABSENCE
(pour avoir manqué un rendez-vous)

Cher Monsieur,
Je viens par cette lettre vous présenter mes excuses pour (n'avoir pas tenu) [7] honoré notre rendez-vous à . . . . le . . . . . Mon absence [8] a été due à un accident qui a interrompu mon voyage. J'ai essayé en vain de vous joindre par l'intermédiaire de l'aéroport et par celui de votre secrétaire. J'espère [9] que nous pourrons nous rencontrer lors de votre prochain passage. [10]

UNE LETTRE DE RUPTURE

Mon cher John,
Je ne sais vraiment pas comment te l'annoncer [11], mai j'ai décidé que nous devions cesser de nous fréquenter. Je t'en prie, essaie de comprendre que cette décision, je ne l'ai pas prise à la légère. Mais comme je suis persuadée qu'un jour ou l'autre il faudra bien que notre liaison [12] s'achève, cela devrait probablement être moins pénible pour toi et moi de rompre tout de suite. Je me souviendrai toujours des moments merveilleux que nous avons connus ensemble, et j'espère que ces souvenirs te seront aussi chers qu'à moi [13].

Ton amie,

1. **short time,** m. à m. *peu de temps.*

2. **However,** traduit par *malheureusement* ici ; sens le plus fréquent : *cependant.*

3. **owing to a sudden illness,** m. à m. *à cause d'une maladie subite.*

4. **it will not be possible for me to meet you,** remarquez la construction **for** + pronom personnel + infinitif, où le pronom personnel, **me** ici est sujet de l'infinitif **to meet.** Tournure très souvent employée là où on trouve un subjonctif en français *(il ne sera pas possible que je vous rencontre).*

5. **will not inconvenience you,** variante de **will not cause you any inconvience.**

6. **as soon as I am fit,** var., **when I am fit** ; notez le temps du verbe de la proposition introduite par une conjonction de temps **(as soon as..., when..., until...).** Lorsque la proposition principale est au futur, le verbe de la subordonnée temporelle est au présent : **I will see him when I come back.** Mais attention ! cette règle ne s'applique plus lorsque la phrase est une question directe : **When will you be back ?** où le verbe est au futur, ou une question au style indirect : **Do you know when he will be back ?** ou **I don't know when he will be back.**

7. **appointment,** notez **to keep an appointment,** mais : **to fail to keep an appointment.**

8. **This was due,** il y a tendance en anglais à reprendre tout un membre de phrase par un seul pronom démonstratif. Ici, **this** est mis pour **my failure to keep our appointment.**

9. **do hope,** forme d'insistance : l'auxiliaire à la forme affirmative sert de support à l'accent emphatique.

10. **next time you are passing through,** m. à m. *la prochaine fois que vous serez de passage.* A nouveau ici le présent en anglais dans la subordonnée de temps introduite par **next time.**

11. **to break (the news) to somebody :** *faire part de, annoncer la mauvaise nouvelle à quelqu'un.*

12. **relationship :** *rapport(s), relation(s)* (d'affaires notamment) ; *lien* (de parenté) ; *liaison* (amoureuse...).

13. m. à m. : *que tu chériras ces souvenirs comme* (moi) *je le fais ;* **to treasure :** *tenir beaucoup à, chérir ; garder précieusement.*

1. I am writing to cancel our appointment on the . . . . .
2. I am very sorry that I was unable to attend the meeting.
3. I was very sorry to be unable to be present at . . . . .
4. I apologize most sincerely for my absence from the important meeting on the . . . . .
5. I now feel that this may not be the ideal moment for a meeting and would prefer to cancel the arrangements.
6. I think you will agree that, given the circumstances, it would be inappropriate for us to meet.
7. This was due to strikes which affected . . . . .
8. A sudden bad attack of 'flu prevented me from traveling.
9. A sudden bereavement prevents me from leaving.
10. Owing to circumstances beyond my control I shall not now be in . . . . as planned.
11. I do hope you will see my point of view.
12. I understand that, given the circumstances, a meeting is not possible.

1. Je vous écris pour annuler notre rendez-vous du . . . . .
2. Je suis désolé de n'avoir pu assister à la réunion.
3. J'ai été désolé de n'avoir pas été présent à . . . . .
4. Je vous présente toutes mes excuses pour mon absence à la réunion importante du . . . . .
5. Il me semble que ce ne soit pas le moment choisi pour une réunion, et je préfèrerais annuler le projet.
6. J'espère que vous penserez comme moi que, vu les circonstances, il ne serait pas opportun de nous rencontrer.
7. Ceci a été causé par des grèves touchant . . . . .
8. Une forte atteinte de grippe (subite) m'a empêché de voyager.
9. Un deuil subit m'empêche de partir.
10. Je ne serais pas à . . . . comme prévu, en raison de circonstances indépendantes de ma volonté.
11. J'espère vivement que vous comprendrez ma position.
12. Je comprends bien, étant donné les circonstances, qu'une rencontre est impossible.

LETTRES D'EXCUSES (absence à une réunion d'amis)

Cher Freddie,

Nous nous faisions une joie de passer une agréable soirée en votre compagnie samedi dernier.

Malheureusement, au moment où nous partions, un coup de téléphone nous avertissait que ma mère était au plus mal, et nous avons dû nous rendre aussitôt à son chevet.

Nous vous prions d'excuser notre absence ainsi que de n'avoir pu vous prévenir de notre empêchement.

Nous vous adressons nos plus cordiales amitiés.

ABSENCE A UNE RÉUNION IMPORTANTE

Je devais participer à la réunion du . . . . . à . . . . . où nous devions discuter des nouveaux débouchés commerciaux de la région. Je regrette infiniment mon absence à cette réunion à laquelle je tenais beaucoup à assister. Une fâcheuse panne de voiture m'a retardé considérablement, et j'ai manqué mon vol de quelques minutes.

Je vous demande de bien vouloir m'excuser auprès de mes collègues et vous prie de trouver ci-joint le dossier que j'avais l'intention de présenter.

Réponse à une lettre d'excuses (termes peu cordiaux)

Je reçois à l'instant votre lettre par laquelle vous vous excusez de n'avoir pas assisté à notre assemblée générale annuelle. Je comprends fort bien que la grippe vous ait forcé à garder le lit ce jour-là ; cependant, votre absence a été regrettable, d'autant plus que vous deviez nous soumettre votre rapport financier, que vous voudrez bien désormais m'envoyer au plus vite.

En vous souhaitant une prompte guérison je vous prie de recevoir, Monsieur, mes salutations distinguées.

Réponse à une lettre d'excuses (compréhensive)

Votre lettre nous faisant part de l'état de santé de votre femme nous est parvenue ce matin. Il est bien évident que votre absence est entièrement justifiée.

Je souhaite à votre épouse un prompt rétablissement et j'espère que nous pourrons convenir d'un autre rendez-vous.

LETTER OF APOLOGY
(absence at a meeting with friends)

Dear Freddie,
We were looking forward to spending an evening
with you last Saturday. Unfortunately, just as we
were leaving, we received a telephone call informing
us that my mother was seriously ill and we had to
go to her at once[1].
Please forgive[2] us for our absence and for not having
been able to[3] let you know beforehand.
With every best wish,

ABSENCE AT AN IMPORTANT MEETING

I was supposed[4] to be at the meeting of . . . . . at
. . . . . where we were going to discuss[5] new
commercial prospects in the region. I was very keen
to be at the meeting and am very sorry that I was
unable to attend. An unfortunate breakdown[6]
delayed me considerably and I missed my flight by
a few minutes. Please make my apologies to my
colleagues for me. I enclose the dossier[7] that I
intended to present[8].

REPLY (cold)

I have just received your letter apologizing for
having been unable to be present at our AGM[9]. I
understand that the attack of influenza[10] obliged
you to remain in bed, however, your absence was
unfortunate as you were supposed to present your
financial report. I would be obliged if you would let
me have it as soon as possible.
I wish you a speedy recovery.

REPLY (understanding)

Dear Mr . . . . .
Your letter informing us of your wife's illness
arrived this morning. I quite understand the reasons
for your absence. I hope her condition will improve
soon and look forward to arranging a new meeting
with you.

1. **bedside,** sera sans doute omis en anglais, **to go to her** étant explicite.
2. **forgive us,** var. **excuse us.**
3. **for not having been able to,** remarquez le temps de **be able to** et la construction dans laquelle il figure : **have** marquant l'antériorité de l'action prend la forme en **-ing** de par la présence de la préposition **for.** Notez aussi la position de la négation **not** avant le groupe verbal.
4. **I was supposed to,** attention à *devoir* qui recouvre en français des sens très divers, traduits en anglais de différentes façons : *je devais participer* n'exprime pas une obligation (l'emploi de **have to** est donc exclu) mais plutôt un événement qui était prévu et qui ne s'est pas réalisé ; **I was supposed to,** m. à m. *j'étais censé,* rend cet irréel du passé ; **to be to** traduit également une action prévue : **I was to go to London,** action qui a eu lieu ; **I was to have gone to London,** action qui était prévue mais qui ne s'est pas réalisée.
5. **we were going to discuss,** autre traduction de *devoir* qui exprime ici une intention.
6. **breakdown (of my car),** sous-entendu, est inutile en anglais.
7. **dossier,** terme très général en anglais comme en français ; **report** serait plus précis. Ici **dossier** se réfère au contenu, le dossier, article de papeterie se traduisant en anglais par **file.**
8. **intended to present,** var., I was going to present ; **I meant to present,** serait de style trop relâché. **To mean** avec le sens d'*avoir l'intention de* est de style parlé.
9. **AGM, Annual General Meeting** (en fr. A.G.O.).
10. **influenza,** var., **'flu.**

Retrouver l'équivalent anglais
des mots et expressions ci-dessous :

Corrigé :

1. essayer.	**1. to try, to attempt.**
2. assister à une réunion.	**2. to attend a meeting.**
3. être en bonne santé.	**3. to be in good health, to be fit.**
4. tenir à faire quelque chose.	**4. to be keen to do something.**
5. à l'avance.	**5. beforehand.**
6. deuil.	**6. bereavement.**
7. panne.	**7. breakdown.**
8. achever (aussi remplir un document).	**8. to complete.**
9. dossier (2 traductions).	**9. file ; dossier.**
10. faire défaut, manquer (aussi échouer).	**10. to fail.**
11. il me semble que.	**11. I feel that.**
12. pardonner.	**12. to forgive.**
13. souffrant.	**13. ill.**
14. manquement, défaut (aussi échec, faillite, panne).	**14. failure.**
15. améliorer.	**15. to improve.**
16. déranger (causer un dérangement).	**16. to inconvenience.**
17. grippe.	**17. influenza, flu.**
18. grève.	**18. strike.**
19. en raison de.	**19. owing to.**
20. perspectives.	**20. prospects.**
21. où peut-on le joindre ?	**21. where can he be reached ?**
22. se remettre.	**22. to recover.**
23. prompt.	**23. speedy.**
24. circonstances indépendantes de notre volonté.	**24. circumstances beyond our control.**
25. annoncer de mauvaises nouvelles.	**25. to break the news.**
26. pénible.	**26. painful.**
27. à la légère.	**27. lightly.**
28. rompre.	**28. to break off.**
29. compréhensif.	**29. understanding, sympathetic.**
30. Excusez-moi auprès de mes collègues.	**30. Please make my apologies to my colleagues.**

A. Traduire

1. Je devais vous rencontrer à la Gare Victoria ; malheureusement une grève des trains m'a empêché d'arriver à l'heure prévue.

2. En raison d'un deuil, il me sera impossible de me rendre à New York la semaine prochaine.

3. J'espère vivement que votre état de santé s'améliorera rapidement.

B. Traduire cette lettre et la disposer correctement

paul dutour 45 rue des sorbiers paris XVème ian fields 8 st john's road cheltenham gloucestershire monsieur nous étions convenus de nous rencontrer le mercredi 25 novembre à londres je ne pourrai malheureusement pas être présent au rendez-vous en raison d'une mauvaise grippe qui m'obligera à garder le lit pendant quelques jours je vous prie d'excuser mon absence et espère pouvoir fixer bientôt un nouveau rendez-vous paul dutour.

A.

1. *I was supposed to meet you (I was to have met you) at Victoria Station. Unfortunately a rail strike prevented me from getting there at the time arranged.*

2. *Owing to a bereavement, it will be impossible for me to (I will be unable to) go to New York next week.*

3. *I do hope your condition will improve quickly.*

B.

Paul Dutour,
45, rue des Sorbiers,
Paris XVe.

Ian Fields,
8, St John's Road,
Cheltenham,
Gloucestershire,

Dear Sir,

We agreed to meet on Wednesday 25 November in London. Unfortunately, I shall be unable to keep our appointment owing to a bad attack of 'flu which will oblige me to remain in bed for a few days. Please excuse me for my absence. I hope to be able to arrange a new date for a meeting soon.

Yours faithfully.

XI

INVITATIONS

Invitations

Lettres, cartons d'invitation. Invitations à dîner, à passer un week-end ou des vacances.

FORMAL INVITATION

Mr Cyrus APPLETREE, Manager,
and the sales team of
MILTOUR & BATES
request the pleasure of the company of
M. Jean LELONG
at a dinner to be given in the . . . . Lounge of the
Hilbro Hotel on Saturday 14 November at 8pm.
formal dress   RSVP
                                                    (address)

SEMI-FORMAL INVITATION (to a business dinner)

Dear Mr . . . . ,
I would very much like to discuss a few points
concerning our new contract with you while I am
in Durban. Might I suggest that we meet informally
for dinner at the Calypso Restaurant on Monday
21 December at 8pm.

INVITATION (to dinner with a close friend)

Dear Jane,
How about coming round for dinner while you are
in Paris next, it'll be pot luck but it would be nice
to get together again.
Best wishes,

INVITATION TO SPEND A WEEKEND

Dear . . . . ,
Thank you for your letter telling us of your plans
to visit . . . . . We will not be in . . . . when you come
but Françoise and I would be delighted if you would
come and stay at our country house in Filthorpe
for that weekend. It would be very nice to have a
more relaxed talk about your proposition. The
address is :
Honeysuckle Cottage,
Filthorpe Manor,
Kent.
Here are the directions :
follow the main road to Penmartin,
turn off right at Caltree,
on leaving Hickling take the road for Filthorpe. . .

INVITATION OFFICIELLE
(carton)

M. Cyrus APPLETREE, Directeur général,
et toute l'équipe des ventes de la Compagnie
MILTOUR & BATES
prient M. Jean LELONG de leur faire le plaisir
d'assister au dîner[1] qui sera donné dans
le salon . . . . de l'Hôtel Hilbro
le samedi 14 novembre à 20 h.

tenue de soirée[2]

RSVP[3]
(adresse)

INVITATION SEMI-OFFICIELLE
(à un dîner d'affaires)

Cher Monsieur,
Je serais très désireux de discuter avec vous de quelques points
concernant notre nouveau contrat, pendant mon séjour à Durban.
Puis-je vous proposer de dîner en toute simplicité au Restaurant
Calypso le lundi 21 décembre à 20 h.

INVITATION
(à dîner à un ami proche)

Chère Jane,
Que diriez-vous de venir dîner[4] la prochaine fois que vous serez à
Paris ? Ce sera à la fortune du pot mais ce serait tellement agréable
de se retrouver ensemble !
Bien à vous,

INVITATION
(à passer un week-end)

Cher . . . . ,
Merci de votre lettre nous faisant part de votre intention de venir
à . . . . . Nous n'y serons pas quand vous arriverez mais nous
serions enchantés, Françoise et moi, si vous pouviez venir passer
le week-end dans notre maison de campagne à Filthorpe. Nous
pourrions y discuter plus agréablement de votre offre. Voici
l'adresse :
Honeysuckle Cottage,
Filthorpe Manor,
Kent.
et la route à suivre :
Prendre la grand-route jusqu'à Penmartin,
tourner à droite à Caltree,
A la sortie de Hickling prendre la route de Filthorpe . . .

1. **dinner,** pour certains Anglais signifie le repas de midi mais, en général c'est le repas du soir qui se prend en général vers 20 h. On lira parfois sur le carton d'invitation **7.30 for 8** signifie que les invités sont priés d'arriver à 19 h 30 pour l'apéritif avant le repas fixé à 20 h. La ponctualité est de rigueur dans ce type de réception. Le déjeûner (**lunch,** parfois **luncheon**) est parfois choisi comme repas officiel mais peut également être simple et permettre à un groupe de discuter affaires plus agréablement. Aux USA existe aussi le **brunch** (à la fois **breakfast** et **lunch**), repas léger qui se prend au cours de la matinée. Les Américains sont beaucoup plus souples pour leur repas qui prennent parfois l'aspect de pique-niques : si l'on vous dit **come and have a bite,** ne vous étonnez pas de vous retrouver devant la TV un sandwich à la main ! En Angleterre, **come round for a cup of tea** est une invitation orale à laquelle il ne faut pas hésiter de répondre : on ne vous donnera d'ailleurs qu'une tasse de thé et quelques biscuits. **Morning coffee** qui se prend vers 11 h est l'occasion pour les Anglaises de se réunir entre amies. Si l'on vous propose **come for tea** vous faites partie des familiers de la maison ; **tea** est un repas léger (pas de plats cuisinés) qui se termine par la traditionnelle tasse de thé. **High tea** prend souvent la forme d'un souper.

2. **formal dress,** les Français en visite en Angleterre s'habillent en général trop cérémonieusement pour les réceptions auxquelles ils sont conviés. Seules les réceptions officielles dans la haute société requièrent l'habit-à-queue et la robe longue (on lira sur le carton **formal** ou **evening dress**). Dans le cas de déjeûner, dîner d'affaires ou entre relations, la tenue de ville (morning dress) sera portée ainsi qu'à l'occasion de **cocktails** apéritif ou vin d'honneur. Par contre lorsque vous êtes invité à une **party** entre amis la tenue vestimentaire comme l'ambiance sera beaucoup plus décontractée (**casual dress**).

3. **RSVP,** emploi du français *Répondez s'il vous plaît.*

4. **coming round for dinner,** plus familier que **coming for dinner.**

1. **Perhaps we could have drinks together at my hotel ?**
2. **How about discussing the contract over drinks at the .... ?** (informal)
3. **It would be very nice if we could meet informally over lunch.**
4. **John and Mary Schort request the pleasure of the company of .... for a dinner on 22 October at 7pm.**
5. **We would be delighted if you could come to dinner with us next Friday.**
6. **Come over for a drink when you arrive, we'll be glad to see you.**
7. **We'd love to have you round for a Bar BQ on Friday next.**
8. **.... request the pleasure of the compagny of. .... for a fancy dress party on May 11** (theme : the 20's).
9. **We do hope you will be able to come.**
10. **Will you come and stay with us for a few days ?**
11. **Mr ... would be pleased if you would attend a small party to be given to celebrate his retirement on ....**

---

1. On pourrait peut-être prendre un verre ensemble à mon hôtel ?
2. Et si nous discutions le contrat en prenant l'apéritif à .... ? *(familier).*
3. Ce serait très agréable de nous retrouver pour déjeûner en toute simplicité.
4. John and Mary Schort prient .... de leur faire le plaisir de dîner avec eux le 22 octobre à 19 h.
5. Nous serions enchantés de vous avoir à dîner avec nous vendredi prochain.
6. Viens prendre un verre à la maison, nous serons heureux de te voir à ton arrivée.
7. Nous feriez-vous le plaisir de venir à un barbecue vendredi prochain ?
8. .... prient .... de leur faire le plaisir de venir à un bal travesti le 11 mai ayant pour thème les années 20.
9. En espérant bien vivement que vous pourrez être des nôtres...
10. Viendras-tu passer quelques jours en notre compagnie ?
11. A l'occasion de son départ en retraite M.... sera heureux de vous accueillir à une soirée entre amis le ....

INVITATION A DES AMIS ÉTRANGERS

Chers Paul et Jane, .
Vous avez dû apprendre par notre comité que nous sommes en train de préparer les manifestations qui marqueront du 20 au 23 août le dixième anniversaire du jumelage de nos deux villes. Nous ne nous sommes pas vus depuis bien longtemps et ce serait l'occasion de passer un moment agréable ensemble. Les enfants sont partis en vacances avec des amis et nous pourrions vous héberger tous sans problèmes pendant ce week-end.
— Qu'en pensez-vous ?
En attendant votre réponse avec impatience nous vous adressons nos plus fidèles amitiés,
Gaëtan et Marie.

AUTRE INVITATION

Cher Michael,
Nous passerons, Suzanne et moi, 5 jours à San Francisco en octobre. Notre séjour fait partie d'un voyage de 2 semaines où nous associerons affaires et tourisme. Je ne peux vous donner le nom et l'adresse de notre hôtel car la réservation ne nous a pas été confirmée, mais je vous téléphonerai dès notre arrivée pour arranger un déjeûner à notre hôtel.
Bien à vous.

INVITATION A UN CORRESPONDANT ÉTRANGER

Cher Keith,
Il y a maintenant plus d'un an que nous correspondons régulière-ment et je suis sûr que comme moi vous trouvez notre échange de points de vue sur nos deux pays très enrichissant. Comme les vacances d'été approchent, je serais heureux de pouvoir vous accueillir au cours du mois de juillet pour vous faire découvrir notre coin de France.
Cela vous intéresserait-il de venir passer une semaine dans une famille française ?
Bien amicalement.

INVITATION A UN COLLÈGUE

Cher . . . . ,
Vous ferez-nous le plaisir, votre femme et vous, de venir dîner à la maison le vendredi 27 avril ? Nous recevons également M. et Mme Potard qui seront enchantés de faire votre connaissance.

INVITATION FROM FOREIGN FRIENDS

Dear Paul and Jane,
You will [1] have heard from our twinning committee
that we are preparing to celebrate the 10th
anniversary of the twinning of our two towns from
the 20th to the 23rd August.
We haven't seen one another for a long time and this
would be the occasion to spend some time together. [2]
The children have gone on holiday with some friends
and we could easily put you up for a weekend.
What do you think ?
Looking forward to your reply,
Your good friends,
Gaëtan and Marie.

ANOTHER INVITATION (US)

Dear Michael,
Suzanne and I expect [3] to spend 5 days in San
Francisco in October as part of a two-week [4] trip
combining business with pleasure. I can't give you
the name and address of our hotel yet as the
reservations haven't been confirmed but I'll call [5] you
when we arrive to fix dinner together at our hotel.
Sincerely yours,

INVITATION TO A FOREIGN FRIEND

Dear Keith,
We've [6] been writing [7] to each other [8] for more than
a year now. I'm sure that, like me, you find it
interesting to exchange views on our two countries.
The Summer holidays are drawing near and I would [9]
like to invite [10] you in July to show you our part [11]
of France. Would you be interested in spending a
week in a French family ?
Yours,

INVITATION TO A COLLEAGUE

Dear Mr . . . .,
We would be very happy if you and your wife could
come to dinner on Friday 27 April. We are also
inviting Mr and Mrs Potard who would be delighted
to make your acquaintance.
Yours sincerely,

1. **you will have heard,** la traduction plus littérale **you must have heard** insiste trop sur la certitude du locuteur *(je suis sûr que vous avez appris)*. **We haven't seen... and this,** var., **As we haven't seen... this...**

2. **to spend some time together,** *agréable* allant de soi n'est pas traduit ; **have fun together, enjoy ourselves, happy time** etc. sont des traductions trop vagues à éviter à cause de leur ambiguïté.

3. **expect,** var., **plan** : remarquez le présent simple en anglais américain.

4. **a two-week trip,** dans l'adjectif composé **two-week,** le substantif **week** reste invariable.

5. **call,** var., **telephone, ring.**

6. **we've,** dans une lettre adressée à des amis les contractions sont admises. La forme non-contractée ici est **we have.**

7. **have been writing,** le temps de ce verbe, le parfait progressif, est justifié par la conjonction de temps **for** m. à m. *Nous nous sommes écrit depuis plus d'un an.* Le parfait progressif (auxiliaire **be** au parfait + verbe en **-ing**) insiste sur le déroulement d'une action qui, commencée dans le passé se poursuit toujours dans le présent. On le trouve dans des phrases contenant **for** qui est suivi d'un groupe de mots (**a few days, a few months, a whole year,** etc.) ou **since** suivi par un mot ou un groupe de mots exprimant le début de l'action décrite par le verbe (**the beginning, 1983, July...** etc.) Ainsi : **we've been writing to each other for a year,** et **we've been writing to each other since 1983** ; A noter que le parfait simple **have written** serait correct dans les deux cas.

8. **each other,** et **one another** (pour plus de 2) sont les pronoms réciproques.

9. **The Summer... and I would...,** var., **now that... I would.**

10. **invite,** ne pas traduire accueillir par **welcome** qui est employé lorsque l'on souhaite la bienvenue à l'arrivée d'un invité, ni par **receive** qui a le sens de donner une audience ou tenir salon.

11. **part,** var., **corner,** assez familier.

Retrouver l'équivalent anglais
des mots et expressions ci-dessous :

1. fêter.	**Corrigé :**
2. proche.	**1. to celebrate.**
3. décontracté.	**2. close.**
4. associer.	**3. casual (dress).**
5. indications, route à suivre.	**4. to combine.**
6. approcher, se rapprocher.	**5. directions.**
7. verre, apéritif.	**6. to draw near.**
8. bal masqué.	**7. drink.**
9. enchanté.	**8. fancy dress party.**
10. comité (attention à	**9. delighted.**
l'orthographe !)	**10. committee.**
11. soirée d'adieu.	**11. farewell party.**
12. tenue de soirée.	**12. evening dress, formal dress.**
13. partir en vacances.	**13. to go on holiday.**
14. que diriez-vous de venir...	**14. How about coming...**
15. salon, salle (de réception).	**15. lounge.**
16. à la fortune du pot.	**16. pot luck.**
17. retraite.	**17. retirement.**
18. jumelage.	**18. twinning.**
19. prier.	**19. to request.**
20. héberger quelqu'un.	**20. to put someone up.**
21. tenue de ville.	**21. morning dress.**
22. un voyage de trois semaines.	**22. a three-week trip.**
23. je propose que nous nous donnions rendez-vous à...	**23. I suggest we meet at...**
24. faire découvrir, faire visiter.	**24. to show.**
25. Cela vous intéresserait-il de passer un mois...	**25. Would you be interested in spending a month...**
26. réception.	**26. party.**

VOCABULAIRE COMPLÉMENTAIRE :

to be at home for one's friends : recevoir, tenir salon.
business lunch, working lunch : déjeuner d'affaires.
dinner dance : dîner dansant.
to give a dinner : donner un dîner.
to hold a party, to give a party : donner une soirée.
a housewarming party : une pendaison de crémaillère.

A. Vous êtes convié à ces réceptions : quelle tenue choisiriez-vous ?
a) morning dress, **b)** evening dress, **c)** casual dress, **d)** morning dress / casual.
1. The British Ambassador in Sao Paulo requests the pleasure of your company at a dinner at the Embassy. **2.** Come and have lunch in the pub with your old friend Peter. **3.** Cocktails will be served after the opening of the new hall. **4.** Guy Michel is leaving Hong Kong and is giving a farewell party on the 14th. August.

B. Traduire les phrases 1 à 4.

C. Traduire en anglais :
1. Que diriez-vous de prendre l'apéritif ensemble au bar de l'hôtel ? **2.** Nous serions enchantés de vous accueillir dans notre maison de campagne. **3.** Passe prendre un verre.

A. 1. b / **2.** c / **3.** a / **4.** d.

B. 1. L'ambassadeur de Grande-Bretagne à Sao Paulo vous prie de lui faire le plaisir d'assister à un dîner donné à l'Ambassade. **2.** Viens déjeûner dans un pub avec ton vieil ami Pierre. **3.** Un vin d'honneur sera servi à l'issue de l'inauguration de la nouvelle salle. **4.** Guy Michel quitte Hong Kong et donne une soirée d'adieu le 14 août.

C.
1. How about having drinks together at the Hotel bar ? **2.** We would be delighted to invite you to our country house. **3.** Come round for a drink.

XII

REPLIES

TO

INVITATIONS

Réponses
à
diverses invitations

Comment accepter une invitation à dîner, à passer quelques
jours chez des amis. Comment
la refuser et présenter ses excuses pour un empêchement.

INFORMAL REPLY

Dear . . . . . ,
Thank you for your suggestion that we dine at
. . . . . .
It would certainly be nice to have a less formal get
together. I look forward to seeing you at the
restaurant.
Yours sincerely,

FORMAL ACCEPTANCE

Mr Jean Lelong has much pleasure in accepting the
kind invitation of . . . . . for Saturday 14 November
at 8 pm.

FORMAL REFUSAL

Mr Jean Lelong thanks . . . . . for their kind
invitation for Saturday 14 Novembre but regrets
that he is unable to attend owing to a previous
engagement.

REFUSING AN INVITATION
FROM A CLIENT OR COLLEAGUE

Mr A. Gramont,
Export Manager,
Inter Corp,
Ashford WA 98304,

Dear Mr Gramont :
It really was very kind of you to suggest we talk
over the project at your country house in Greenville.
It would have been most agreeable to discuss things
in a more relaxed setting and get to know each
other better.
Unfortunately, an urgent problem at our subsidiary
in Nyoto obliges me to leave Seattle at once and may
occupy all my attention for some weeks. Let me say
once again how much I regret being unable to accept
your kind invitation. I will contact you about the
project shortly.

Yours sincerely,

RÉPONSE (sans façons)

Cher Monsieur,
Merci de m'inviter à dîner[1] à . . . . . . Il serait certainement plus agréable de nous réunir[2] de façon moins officielle. En attendant le plaisir de vous rencontrer au restaurant...

RÉPONSE AFFIRMATIVE
(à une invitation formelle)

M. Jean Lelong aura grand plaisir de se rendre à l'aimable invitation de Mr . . . . . le samedi 14 novembre à 20 h.

RÉPONSE NÉGATIVE
(à une invitation officielle)

M. Jean Lelong remercie . . . . . de leur aimable invitation pour le samedi 14 novembre, à laquelle il aura le regret de ne pouvoir se rendre, étant retenu par des engagements antérieurs.

UN CLIENT OU UN COLLÈGUE REFUSE UNE INVITATION

Mr A. Gramont,
Export Manager,
Inter Corp.,
Ashford WA 98304
Le 14 mai 19. . .

Cher Monsieur,
C'était vraiment[3] très aimable de votre part de proposer que nous discutions[4] de notre projet dans votre maison de campagne de Greenville. C'eût été[5] un grand plaisir[6] de discuter affaires dans un cadre plus agréable et d'apprendre à mieux nous connaître[7].
Malheureusement un problème urgent survenu à notre filiale de Nyoto me contraint à quitter Seattle immédiatement, et il est possible que[8] je sois retenu là-bas pendant quelques semaines.
Veuillez être assuré à nouveau de mon profond regret de ne pouvoir accepter[9] votre aimable invitation. Je vous contacterai sous peu à propos de notre projet.

1. **dine,** le temps de ce verbe est le subjonctif : introduite par **your suggestion that** l'action du verbe reste hypothétique.
2. **get-together,** est ici un nom. Plus familier que **meeting.**
3. **It really was very kind of you,** tournure très idiomatique : notez l'emploi du pronom personnel complément **you.** De la même façon : **it was very kind of her/him** etc.
4. **talk over,** à nouveau le subjonctif après **to suggest, that** étant sous-entendu ; **to talk over** est plus familier que **to discuss.**
5. **it would have been,** verbe *être* au conditionnel passé.
6. **agreeable,** plus recherché que **nice** qui est un adjectif « *passe partout* » en général employé trop souvent par les étrangers.
7. **get to know each other,** tournure idiomatique contenant le verbe **to get** dont il faut se méfier à cause de sa variété d'emplois. Dans ce contexte, **to get to know,** indique un processus, idée rendue en français par le verbe *apprendre à.*
8. **may occupy : urgent problem** est sujet de ce groupe verbal. En français **may** est souvent traduit par la tournure impersonnelle *il est impossible que...* **occupy all my attention,** m. à m. *qu'il occupe toute mon attention.*
9. **being unable to accept,** lorsque vous ne pouvez vous rendre à une invitation, n'employez pas le verbe **to refuse,** beaucoup trop abrupt.

QU'APPORTER A VOTRE HÔTE LORSQUE VOUS VOUS RENDEZ A UNE INVITATION ?

Les Anglais ne se formaliseront pas si vous arrivez les mains vides à un déjeuner ou un dîner. Cependant, une marque de gratitude sera appréciée : la boîte de chocolats est le présent classique tandis que la plante ou les fleurs seront peut-être moins courants dans les pays anglo-saxons. La bouteille de vin ou d'alcool est toujours la bienvenue, cadeau que l'on donnera en particulier à une réunion d'amis décontractée où chacun apporte sa contribution **(a bottle party).**

1. Mr and Mrs Duplit thank the British Consul for his kind invitation which they have much pleasure in accepting.
2. Mr John Masters is pleased to accept Mr . . . . .'s invitation.
3. I am sorry that I cannot accept your very kind invitation for the 4th.
4. Mr Peter Shaw regrets being unable to accept Mr Perth's invitation to dinner as . . . . .
5. I am happy to agree that we meet for a working lunch at . . . . .
6. Thank you for your very kind invitation. I shall be delighted to attend.
7. I would love to come to your cocktail party next Saturday.
8. I would dearly like to be able to accept your kind invitation, unfortunately . . . . .
9. It'll be for another time.

---

1. M. et Mme Duplit remercient le Consul britannique de son aimable invitation à laquelle ils auront le grand plaisir de se rendre.
2. M. John Masters aura le plaisir de se rendre à l'invitation de M. . . . . .
3. Je suis désolé de ne pouvoir me rendre à votre aimable invitation pour le 4.
4. M. Peter Shaw regrette de ne pouvoir se rendre à l'invitation de M. Perth à dîner, à cause de . . . . .
5. Je suis heureux de vous confirmer notre rendez-vous pour un déjeuner d'affaires à . . . . .
6. Merci pour votre aimable invitation à laquelle je serai enchanté de me rendre.
7. C'est avec plaisir que je me rendrai à votre cocktail samedi prochain.
8. J'aimerais beaucoup pouvoir me rendre à votre aimable invitation, malheureusement...
9. ...mais ce n'est que partie remise/ce sera pour une autre fois.

RÉPONSE AFFIRMATIVE
(à une invitation à passer des vacances).

Cher Francis,
Votre lettre par laquelle vous m'invitez à venir vous voir m'a beaucoup touché : c'est vraiment très gentil d'avoir ainsi pensé à me faire partager vos vacances. J'accepte avec grande joie votre aimable invitation et je pourrais arriver le 4 juillet en fin d'après-midi si cela vous convenait, n'hésitez pas à me prévenir car je serais navré de vous occasionner quelque complication.
En attendant le plaisir de vous revoir, et avec tous mes remerciements, je vous assure de ma plus fidèle amitié.
Georges.

RÉPONSE AFFIRMATIVE
(à une invitation à dîner entre amis)
Quelle excellente idée vous avez eue, chère amie ! Cela fait déjà quelque temps que je pense qu'il faut absolument nous revoir (mais vous connaissez mon travail et mes obligations), et j'ai toujours reporté mon invitation.
Entendu pour vendredi prochain à 20 h.
A bientôt.
Amicalement.

RÉPONSE NÉGATIVE
(à une invitation à passer un week-end)
Chers amis,
Vous me voyez bien désolé de ne pouvoir répondre à votre invitation qui me touche infiniment, mais un déplacement imprévu m'appelle dans le Sud et me prive du plaisir de passer quelques jours agréables en votre compagnie.
J'ose espérer que vous me pardonnerez ce refus et vous prie de recevoir toutes mes amitiés.

RÉPONSE AFFIRMATIVE
(par carte-lettre à une invitation à dîner par un collègue).
Nous serons, ma femme et moi, très heureux de nous rendre à votre aimable invitation et attendons avec impatience le plaisir de faire la connaissance de vos amis Dessaint.
Bien cordialement,

ACCEPTANCE
(of an invitation to spend a holiday)

Dear Francis,
It was very kind of you to invite[1] me during your
holidays[2]. I am happy[3] to be able to accept your
kind invitation and could arrive in the late afternoon
on the 4th July if that suits[4] you. Don't hesitate to
let me know if anything should[5] prevent you from
going ahead with the idea[6]. I would be sorry to put
you out[7].
Looking forward to seeing you again,
Georges

ACCEPTANCE
(of an invitation to dinner with friends)

What a great idea ! I've been thinking for a while it
was time we saw[9] each other again. But you know
my job and my commitments, I always put off[10]
inviting you.
Next Friday at 8pm then.
See you soon,

REFUSING AN INVITATION
(to spend a weekend)

Dear Friends,
I am really sorry to be unable to accept your kind
invitation. Unfortunately I have to go down south
unexpectedly and won't have the pleasure of
spending a few days with you.
I do hope you will forgive me[11].
With every best wish,

ACCEPTANCE
(written on a visiting card)

My wife and I have great pleasure in accepting your
kind invitation and look forward to meeting your
friends the Dessalms.
Yours sincerely,

1. **it was very kind of you to invite me,** var., it gave me great pleasure to receive your invitation.
2. **during your holidays,** var. to go on holiday with you. Le français est plus ambigu ici et peut être interprété de deux façons : l'invité est reçu pendant toute la période pendant laquelle l'hôte ne travaillera pas et vacances sera traduit par **holiday**s ou l'invité et l'hôte partiront faire du tourisme ensemble et dans ce cas vacances sera traduit par **holiday**.
3. **happy,** var., **pleased.**
4. **suits,** notez en français un imparfait modal de politesse qui n'est pas traduit en anglais.
5. **if anything should prevent you**, var., plus littéraire, **should anything prevent you ;** l'auxiliaire modal **should** marque ici une éventualité plus improbable que si le verbe était au prétérit **if anything prevented you.**
6. **going ahead with the idea,** traduction plus libre de : *si d'ici cette date...* **to go ahead with** exprime la notion de développement d'un projet.
7. **put you out,** exemple de verbe suivi d'une postposition qui pose toujours problème aux Français. Le sens de ces verbes est cependant à maîtriser car ils reviennent très souvent sous la plume des Anglo-Saxons dans les échanges informels ; **to put out** qui n'a rien de commun avec le verbe **to put** a ici le sens de *déranger.*
8. **Once again...,** la langue française se prête facilement aux longues phrases coulées comprenant plusieurs enchaînements. Au contraire l'anglais, plus sobre, s'en accommode mal. Les clôtures de lettres se limitent en général à une seule proposition et ici, **once again my thanks** sera sans doute omis.
9. **it was time we saw,** saw est ici un prétérit modal qui correspond à un infinitif ou à un subjonctif français. Ainsi : **it is time we went,** *il est l'heure de partir, il est temps que nous partions.*
10. **put off inviting you,** à nouveau le verbe **to put** suivi de la postposition **off,** synonyme du verbe plus recherché : **to postpone** *(reporter).* Remarquer le gérondif **inviting** qui suit.
11. **forgive me,** mis pour **forgive my refusal.**

Retrouver l'équivalent anglais
des mots et expressions ci-dessous :

	Corrigé :
1. acceptation	1. acceptance.
2. faire avancer un projet.	2. to go ahead with a project.
3. discuter (2 traductions).	3. to discuss, to talk something over.
4. gentil (aimable) de votre part.	4. kind of you.
5. remettre, reporter (2 traductions).	5. to put off ; to postpone.
6. antérieur.	6. previous.
7. refus.	7. refusal.
8. cadre.	8. setting.
9. filiale.	9. subsidiary.
10. convenir.	10. to suit.
11. de manière inattendue.	11. unexpectedly.
12. engagement (2 traductions).	12. commitment ; engagement.
13. réunion entre amis.	13. get-together.
14. apprendre à se connaître mieux.	14. to get to know each other better.
15. ne pouvoir se rendre à une réunion.	15. to be unable to attend a meeting.

VOCABULAIRE COMPLÉMENTAIRE :

to be away on holiday : être en vacances (donc absent).
to congratulate : féliciter.
disappointed : déçu.
disappointment : déception.
to enjoy : apprécier, prendre plaisir à.
I am very sorry I cannot give a more definite answer : je suis vraiment désolé de ne pouvoir donner une réponse plus précise.
I wish I could join you : je regrette de ne pouvoir me joindre à vous.
Mr and Mrs X... regret that because of a previous engagement on that date they are unable to accept the invitation : Mr et Mme X... ont le regret de ne pouvoir accepter cette invitation en raison d'un engagement antérieur à la même date.

A. Traduire

1. Cher Monsieur (Stuart).
Votre invitation à venir passer un week-end à Broadstairs m'a beaucoup touché. Il sera certainement plus agréable de travailler ensemble dans votre maison de campagne qu'à Paris. Je pourrais arriver le vendredi vers 17 h si cela vous convenait.
Bien cordialement,

2. Chère Penny,
Merci de ton invitation à dîner pour samedi prochain. Malheureusement un problème urgent oblige François à passer environ 15 jours à New York. Mais ce ne sera que partie remise et je t'enverrai un mot dès son retour.

3. M. Paul Marand remercie Mr and Mrs Lee de leur aimable invitation à laquelle il aura le grand plaisir de se rendre.

---

1. Dear Mr Stuart,
It was very kind of you to invite me for a week-end at Broadstairs. It will certainly be more agreeable (pleasant) to work together in your country house than in Paris. I could arrive on Friday if that suits you.
Yours,

2. Dear Penny,
Thank you for your invitation to dinner for next Saturday. Unfortunately an urgent problem obliges François to spend about a fortnight in New York. It'll be for another time. I'll send you a note as soon as he arrives back (returns).

3. M. Paul Marand thanks Mr and Mrs Lee for their kind invitation which he has great pleasure in accepting (and has great pleasure in accepting it).

XIII

CONDOLENCES

AND

CONGRATULATIONS

Condoléances
et
félicitations

Comment annoncer une naissance, un mariage, lettres de
félicitations, de condoléances,
lettre à un malade.

ANNOUNCING A BIRTH

Dear Paul,
I am delighted to tell you that Paulette had a son
on Friday 4th June. Mother and child are doing
well and we are looking forward to seeing you again.

REPLY

Dear Christian,
I was very pleased to hear your good news. Please
give my best wishes and congratulations to Paulette.
I look forward to seeing the new addition to your
family next time you come over.

LETTER ON LEARNING OF THE DEATH
OF A COLLEAGUE'S OR A CLIENT'S WIFE

Dear Patrick,
I realize that words can do little to ease your sorrow
at this difficult time but I want you to know that
you have all my sympathy. If there is anything I
can do to help, do not hesitate to let me know.

LETTER ANNOUNCING
A WEDDING AND INVITING FRIENDS

Dear Mr and Mrs Grajoux,
I am writing to let you know that Maryse and I are
engaged to be married. The wedding has been fixed
for 11 am on Saturday 6th of July at St Giles' RC
Church in Pennywell. After the service, there will
be a reception and dance at the Stag's Head Hotel. I
do hope you will come.
Yours sincerely,

FORMAL WEDDING ANNOUNCEMENT

M. et Mme Michel FLORENT
Mr et Mrs Peter STOTT
request the pleasure of your company at the wedding
of their daughter MARYSE
to M. Alex FLORENT
at St Giles' RC Church Pennywell
on Saturday 6 July
at 11 am and afterwards at the Stag's Head Hotel.
RSVP (address)

LETTRE ANNONÇANT UNE NAISSANCE

Cher Paul,
J'ai le grand plaisir de vous annoncer que Paulette a eu un fils vendredi 4 juin. La mère et l'enfant se portent bien [1] et nous attendons tous avec impatience le moment de vous revoir.

Réponse

Cher Christian,
C'est avec joie que j'ai appris la bonne nouvelle [2].
Transmettez bien à Paulette tous mes bons vœux et mes félicitations. En attendant de faire la connaissance du nouveau venu [3] de la famille lors de votre prochaine visite... [4].

LETTRE DE CONDOLÉANCES A UN CLIENT
OU UN COLLÈGUE QUI A PERDU SA FEMME

Cher Patrick,
Je sais [5] que ces mots sont impuissants à soulager votre douleur en ces moments d'épreuve mais je veux vous assurer ici de toute ma sympathie. Si je peux vous apporter une aide quelle qu'elle soit, n'hésitez pas à me le faire savoir.

LETTRE ANNONÇANT UN MARIAGE
ET INVITANT DES AMIS

Je viens vous annoncer que Maryse et moi sommes fiancés. Le mariage [6] est fixé [7] au samedi 6 juillet à 11 h à l'église St Gilles RC Pennywell. La cérémonie sera suivie d'une réception [8] et d'une soirée dansante au Stag's Head Hotel. J'espère que vous pourrez venir.

FAIRE-PART DE MARIAGE OFFICIEL

M. et Mme Michel FLORENT
Mr et Mrs Peter STOTT
vous prient de leurs faire le plaisir
d'asister au mariage de leur fille Maryse
avec
M. Alex FLORENT
en l'église St Gilles RC à Pennywell le samedi 6 juillet à 11 h.
Les familles recevront ensuite au Stag's Head Hotel.

RSVP (adresse)

1. **are doing well,** la variante **are well** *(allez bien)* n'exprime pas l'idée d'amélioration progressive de l'état contenue dans **to do well.**

2. **news,** prends toujours la forme du pluriel bien que le verbe reste au singulier, ainsi : **What is the news ?** *(quelles sont les nouvelles ?).*

3. **new addition,** assez familier, littéralement un élément ajouté, variante, **a new member.**

4. **next time you come over,** m. à m. la prochaine fois que vous viendrez. Notez le présent simple après **next time.**

5. **I realize... little,** m. à m. *je me rends compte que les mots peuvent faire peu pour...*

6. **wedding,** deux mots existent dans la langue anglaise pour traduire mariage : **wedding** qui se réfère à la cérémonie religieuse **(service)** et à la réception qui suit, et **marriage** qui est beaucoup plus abstrait. On trouvera **marriage** dans **civil marriage** *(mariage civil),* **money marriage** *(mariage d'intérêt),* **theirs is a happy marriage** *(c'est un couple heureux / ils sont heureux en mariage)* ou encore **Marriage is not popular these days** *(les gens ne se marient plus de nos jours).*

7. **has been fixed** (m. à m. *a été fixé).* La voix passive se forme à l'aide de l'auxiliaire être suivi du participe passé du verbe ; Ici : **be** au parfait donne **has been** et est suivi de **fixed,** participe passé du verbe régulier **fix.** Quelques exemples de verbes à la voix passive : **was written** *(a été écrit),* **will be sent** *(sera envoyé),* **must be cancelled** *(doit être annulé).*

8. **reception,** terme très vague qui recouvre un éventail de réjouissances allant du simple vin d'honneur au grand banquet. Si vous recevez ce genre d'invitation très ambigu ne soyez pas déçu de ne recevoir qu'un verre de vin après la cérémonie religieuse.

1. Our son Joël is to be married on the 22 May at
   . . . . .
2. We would all be very happy if you could come to the wedding.
3. I am writing on behalf of Tom and myself to say how delighted we were to hear the news of your marriage / engagement / baby.
4. Mr and Mrs Mitchell have much pleasure in accepting the kind invitation of Mr and Mrs Pelot to the wedding of their daughter Clare on 10th July.
5. Philip joins me in sending our warmest congratulations and good wishes.
6. It was with great sadness that I learned the tragic news of . . . . . 's death.
7. We worked together for some years and I always appreciated his friendliness and hard work,
8. Please accept our sincere condolences on this unhappy event.
9. I very much appreciated your kindness in writing to me on the occasion of my husband's death.

---

1. Notre fils Joël doit se marier le 22 mai à . . . . .
2. Nous serions tous très heureux si vous pouviez venir au mariage.
3. De la part de Tom et de moi-même, je veux que vous sachiez (je vous écris pour vous dire...) combien nous avons été enchantés d'apprendre la nouvelle de votre mariage / vos fiancailles / la naissance de votre bébé.
4. Mr et Mrs Mitchell auront le grand plaisir de se rendre à l'aimable invitation de Mr et Mrs Pelot au mariage de leur fille Clare le 10 juillet.
5. Philip se joint à moi pour vous envoyer nos plus vives félicitations et nos meilleurs vœux.
6. C'est avec grande tristesse que j'ai appris la nouvelle tragique de la mort de . . . . . .
7. Nous avons travaillé ensemble pendant quelques années et j'ai toujours apprécié son amabilité et son sérieux.
8. Veuillez accepter non sincères condoléances en cette cruelle épreuve (événement malheureux).
9. J'ai été très touchée par votre lettre de sympathie à l'occasion du décès de mon mari.

LETTRE A UN COLLÈGUE
QUI VIENT D'AVOIR UN ACCIDENT

Cher Nial,

Je viens d'apprendre ce matin que le week-end s'est bien mal terminé pour vous. Se casser le col du fémur chez soi en tombant d'un escabeau, voilà vraiment de la malchance ! J'espère que l'opération s'est bien passée et que vous vous remettez maintenant sans trop de souffrances. Mais je suppose que votre séjour à l'hôpital va se prolonger encore au moins une semaine et que vous serez condamné au repos pendant quelques temps.

Tout le monde ici se joint à moi pour vous envoyer, avec toute notre sympathie nos vœux de prompt rétablissement.

Cordialement,

FAIRE-PART DE NAISSANCE
(sur carte de visite)

M. et Mme Olivier LOMBARD
sont heureux de vous faire part de la
naissance de leur fille Sandrine

17, rue des Hautes Feuilles,   8 mars 19..
75015 Paris

RÉPONSE A L'ANNONCE D'UN MARIAGE

Ma chère Irène,

Ta lettre m'annonçant ton prochain mariage m'a rempli le cœur de joie. Tu connais Brian depuis quelques années déjà et je suis sûre qu'il sera un compagnon idéal.

J'aurais tant aimé pouvoir être parmi vous tous en ce grand jour et partager avec toi ce moment merveilleux ! Malheureusement la date de ton mariage tombe bien mal, et à l'instant où tu prononceras ce oui solennel je serai sans doute à Lagos en train de discuter de problèmes financiers avec un client. Malgré la distance, je serai à tes côtés de tout cœur pour te souhaiter une longue et heureuse vie à deux.

Toute mon amitié,

P.S. Tu penseras à me dire quel cadeau vous ferait plaisir.

TÉLÉGRAMME DE FÉLICITATIONS

SOMMES AVEC VOUS PAR LA PENSÉE - TOUS NOS VŒUX DE BONHEUR AUX HEUREUX MARIÉS - PIERRE ET JEANNE

LETTER TO A COLLEAGUE
WHO HAS JUST HAD AN ACCIDENT

Dear Nial,
I heard this morning that the weekend finished
badly[1] for you. It really was[2] unlucky to break
your hip by falling from a stepladder. I hope the
operation was successful[3] and that you are now
recovering without too much pain. I imagine you
will have to stay in hospital for another week at
least[4] and that you will probably be obliged to rest
for some time.
Everyone here joins with me in sending all our
sympathy and best wishes for a prompt recovery.
Yours truly,

ANNOUNCING A BIRTH (on a card)

Olivier and Sylvie LOMBARD
are happy to announce[5]
the birth of their daughter Sandrine

8 March 19..
(address)

CONGRATULATIONS
ON THE ANNOUNCEMENT OF A WEDDING

Dear Irene,
I was overjoyed to learn of your forthcoming[6]
marriage. You have known[7] Brian for several years
and I am sure he will be an ideal partner. I would
have so much liked to be with you all on the great
day[8] to share the marvellous moment !
Unfortunately, the date of your wedding falls badly[9].
When you solemnly say « I will[10] » I shall probably
be discussing[11] financial problems with a client in
Lagos. Despite the physical distance I shall be with
you in spirit and wish you both a long and happy
life together.
Your friend,

P.S. Don't forget[12] to let me know what present[13]
you'd like.

TELEGRAM OF CONGRATULATIONS

WIGH YOU IN SPIRIT-ALL OUR BEST WISHES TO
THE HAPPY COUPLE[13] PIERRE AND JEANNE

1. **finished badly,** est préférable à la variante **came to a bad end** que l'on réserve pour des expressions familières telles **he came to a bad end** (cela s'est mal terminé pour lui) ou **the company came to a bad end,** *la société a fait faillite.*

2. **il really was.. ladder,** var. **what bad luck to fall from a stepladder and break your hip.**

3. **was successful,** var. **went alright** (plus familier).

4. **you will have to stay in hospital,** m. à m. vous devrez rester à l'hôpital ; notez la présence de **have to,** auxiliaire modal équivalent de **must** défectif, ici au futur.

5. **inform** pour *annoncer* est de style administratif et commercial à ne pas employer ici.

6. **forthcoming,** attention à la traduction de *prochain.* **next marriage** est à bannir puisque cela signifierait le mariage suivant et **soon** ne s'emploie qu'avec un verbe **(... to learn that you'll get married soon).** Dans l'adjectif **forthcoming** on retrouve **forth** = *devant* et **come** = *venir* c'est-à-dire, *qui va se produire, à venir.*

7. **have known,** malgré la présence de **for several years** le verbe de la phrase ne peut se mettre au parfait progressif. **To know,** comme **to want** prend rarement la forme progressive.

8. **the great day,** l'article défini en anglais est souvent employé pour traduire l'adjectif démonstratif français *ce.* **This great day** signifie que le mariage a déjà eu lieu, **that** serait beaucoup trop vague et général.

9. **falls badly,** var., **comes at a difficult time for me.**

10. **I will :** c'est la formule prononcée par chacun des deux époux lors de la cérémonie du mariage.

11. **When you say... I shall probably be discussing,** remarquez le verbe au présent simple **say** après **when** et le verbe de la principale **(discuss)** au futur progressif qui traduit le français *en train de.*

12. **don't forget,** littéralement, *n'oublie pas.*

13. **present,** on peut aussi demander la *liste de mariage,* **the wedding list.**

14. **happy couple,** var., **newly weds** (plus familier).

Retrouver l'équivalent anglais des mots et expressions ci-dessous :

		Corrigé :
1.	naissance.	**1. birth.**
2.	annonce.	**2. announcement.**
3.	condoléances.	**3. condolences.**
4.	félicitations.	**4. congratulations.**
5.	décès.	**5. death.**
6.	se porter bien.	**6. to be doing well.**
7.	soulager.	**7. to ease.**
8.	fiancé (adj.).	**8. engaged.**
9.	événement.	**9. event.**
10.	prochain.	**10. forthcoming.**
11.	amabilité.	**11. friendliness.**
12.	gentillesse.	**12. kindness, kindliness.**
13.	de la part de, au nom de.	**13. on behalf of.**
14.	ravi, enchanté.	**14. overjoyed** (très fort).
15.	douleur, souffrance.	**15. pain.**
16.	compagnon, partenaire.	**16. partner.**
17.	tristesse.	**17. sadness.**
18.	chagrin.	**18. sorrow.**
19.	mariage (2 traductions).	**19. marriage ;** (cérémonie) **wedding.**
20.	liste de mariage.	**20. wedding list.**
21.	se reposer.	**21. to rest.**
22.	église.	**22. church.**
23.	par la pensée.	**23. in spirit.**
24.	cadeau.	**24. present.**
25.	fiançailles.	**25. engagement.**
26.	nouveaux mariés.	**26. newlyweds.**
27.	partager.	**27. to share.**

VOCABULAIRE COMPLÉMENTAIRE :

bereavement : deuil.
the best man: le garçon d'honneur, le témoin.
the bride : la mariée. *the bridegroom :* le marié. *bridesmaid :* demoiselle d'honneur.
burial service : office des morts. *to bury :* enterrer.
christening : baptême.
funeral : enterrement.
grief : douleur, souffrance (morale), chagrin.
spouse : époux, épouse, conjoint.
to undergo surgery/a surgical operation : se faire opérer, subir une intervention chirurgicale.
widow : veuve. *widower :* veuf.

XIII B5

A. Des amis, des collègues vous font part d'événement de leur vie familiale ; quelle réponse choisirez-vous ?

1. We are happy to announce the birth of our daughter. **2.** Our wedding has been fixed for the 4th of July. **3.** The marriage of our son has been postponed owing to the death of my mother. **4.** My husband had to go to hospital for an urgent operation and will be unable to attend the meeting.

a) We were sorry to learn the tragic news about your mother. **b)** I send you my warmest congratulations. **c)** Please give your husband our best wishes for a prompt recovery. **d)** All my congratulations and my best wishes for the new member of the family.

B. Compléter les lettres suivantes à l'aide des éléments proposés.

I I was (1) to hear that you were (2) ill and had to (3) in hospital for a week. I hope you are now (4) and that you will (5) again very soon. Everybody here (6) with me in (7) our (8) for a prompt (9).

remain, sending, sorry, joins, doing well, be fit, recovery, best wishes, taken.

II I was (1) to receive your letter telling me about your (2) with Anthony. Unfortunately I can't come to the (3) as I have several engagements that day. I send you (4) my warmest (5) and best (6) for a long and (7) life (8).

wedding, together, marriage, congratulations, wishes, happy, both, overjoyed.

Réponses

A - **1.** d/), **2.** b/), **3.** a/), **4.** c/).
B **première lettre** - **1.** sorry, **2.** taken, **3.** remain, **4.** doing well, **5.** be fit, **6.** joins, **7.** sending, **8.** best wishes, **9.** recovery.
deuxième lettre - **1.** overjoyed, **2.** marriage, **3.** wedding, **4.** both, **5.** congratulations, **6.** wishes, **7.** happy, **8.** together.

XIV

THANK YOU LETTERS

Lettres de remerciements

Après des vacances chez des amis, ou quelques jours passés chez une relation d'affaires, pour un cadeau ou un service rendu, pour remercier des amis d'une soirée ou d'un repas.

LETTER THANKING FRIENDS FOR A STAY

Dear Mac,
Just a few lines to let you know much I enjoyed
my stay in your delightful country house. It was
marvellous to discover a new part of your country
and get to know your family better.
Yours sincerely,

LETTER OF THANKS AFTER A DINNER PARTY

Dear Mr Thuld,
This is to thank you most sincerely for inviting me
to dinner last Tuesday. It was a most pleasant
evening and I particularly enjoyed meeting your
friends.
I hope to be able to return the invitation when next
you visit my country.

LETTER OF THANKS FOR A GIFT

Dear Mr and Mrs Gort,
It really was kind of you to send a present for our
wedding. We found the colour suited our room
perfectly. In years to come it will remind us of your
kindness and bring fond memories of our visits.

LETTER THANKING SOMEONE FOR THEIR HELP

This is just to express my thanks for your help in
arranging a meeting with Mr Schulz. I found his
ideas very stimulating and am confident that we
shall collaborate in the near future.

LETTER THANKING A BUSINESS CONTACT
FOR HOSPITALITY

Dear Mr Griffith,
I really am extremely grateful to you for putting
me up during my visit to your plant. Your kind
hospitality turned a routine business trip into a
pleasurable and enjoyable visit.
Please extend my thanks to your wife.
Yours sincerely,

LETTRE REMERCIANT DES AMIS
A L'OCCASION D'UNE VISITE

Cher ami,
Ces quelques lignes pour vous dire combien j'ai apprécié[1] mon séjour dans votre charmante maison de campagne. Cela a été merveilleux de découvrir une nouvelle région de votre pays et d'apprendre à mieux connaître votre famille.
Je vous prie de croire...

LETTRE DE REMERCIEMENTS APRÈS UN DÎNER

Cher Monsieur,
Je voudrais par ce mot[2] vous remercier très sincèrement de m'avoir invité à dîner mardi dernier. J'ai passé une soirée très agréable et j'ai particulièrement trouvé plaisir[3] à rencontrer vos amis. J'espère pouvoir vous rendre l'invitation la prochaine fois que vous vous trouverez dans mon pays.
Je vous prie d'agréer...

LETTRE DE REMERCIEMENTS POUR UN CADEAU

Chers amis,
C'était vraiment très gentil à vous d'envoyer un cadeau à l'occasion de notre mariage. Nous avons trouvé que la couleur s'harmonisait[4] parfaitement avec notre pièce. Dans les années à venir, il restera le témoignage de votre gentillesse et nous rappellera[5] d'agréables souvenirs[6] de nos visites.

LETTRE REMERCIANT QUELQU'UN DE SON AIDE

Je voudrais simplement vous exprimer ici ma gratitude pour m'avoir aidé en arrangeant une entrevue avec M. Schulz. J'ai trouvé que ses idées étaient très stimulantes et je suis certain[7] que nous collaborerons dans un proche avenir.

LETTRE REMERCIANT UNE RELATION D'AFFAIRES
POUR SON HOSPITALITÉ

Cher Monsieur,
Je vous suis vraiment très reconnaissant d'avoir bien voulu m'héberger pendant mon séjour à votre usine[8]. Votre aimable hospitalité a fait[9] d'un banal[10] voyage d'affaires une visite pleine d'attraits et d'agrément. Transmettez[11], je vous prie, mes plus vifs remerciements à votre épouse.

1. **enjoyed,** il n'y a pas de date dans la lettre mais le verbe se réfère à un moment bien précis du passé (lorsque le correspondant a séjourné chez ses amis) et donc prend le prétérit.
1. **This is to thank you,** m. à m. *ceci est pour vous remercier.*
3. **enjoyed, to enjoy** est un verbe qui revient souvent sous la plume et dans la conversation des Anglo-Saxons. Synonyme de **to like,** il y a cependant des emplois différents : on dira **do you like England, coffee,** ... (goût permanent) mais : **did you enjoy your holiday, that film, the party, our conversation,**... parce que l'on se réfère à une expérience bien particulière.
4. **suited,** nous avons déjà vu **to suit** dans le sens de convenir au sens figuré. Le verbe est pris dans le sens propre ; var., **to match.**
5. **to remind someone of something,** *rappeler quelque chose à quelqu'un* mais **to remember something** *se rappeler de quelque chose.*
6. **memories,** attention aux faux-amis : **memory** = *la mémoire,* **memoirs** = *les mémoires* (genre litéraire) et **memories** = *les souvenirs.*
7. **to be confident,** et la locution **to have confidence in ... that,** sont aussi des faux-amis.
8. **plant,** rend d'avantage le sens de *complexe* (sidérurgique, chimique....) que **factory** *(usine).*
9. **turned ... into, to turn,** verbe aux multiples emplois est associé ici avec la préposition **into** qui introduit le complément d'objet indirect. L'expression **to turn ... into** est plus courante que son synonyme **to transform.**
10. **routine business trip,** les groupes de mots, dont voici un exemple caractérisent le style concis des hommes d'affaires et des journalistes. Le Français a parfois quelques difficultés à en dégager la signification. Un conseil : isoler d'abord le mot clé (**trip** dans notre cas) puis retrouver en lisant de droite à gauche les mots, substantifs ou adjectifs qui s'y rapportent.
11. **extend,** litéralement que mes remerciements s'étendent à votre épouse.

1. We just had to write and say how much we enjoyed the dinner / party.
2. I simply had to write and thank you for the lovely evening / stay.
3. Mary and I thank you so much for the gift.
4. Just a line to let you know...
5. This is to say how much we appreciated...
6. Just a few words to express our thanks for...
7. This is just a short note to say...
8. It was extremely pleasant to stay in your house in... ; it was an ideal opportunity to exchange ideas on our project.
9. A (present) was just what we needed.
10. We hope to see you again in the not-too-distant future.
11. We hope to be able to return your hospitality soon.
12. Again, many thanks.
13. Once again thank you very much.

---

1. Il faut absolument que vous sachiez combien nous avons aimé le dîner / la soirée.
2. Il faut absolument que je vous remercie pour l'excellente soirée / séjour.
3. Mary et moi vous remercions beaucoup pour le cadeau.
4. Ces quelques lignes pour que vous sachiez que...
5. Ce mot pour vous dire combien nous avons apprécié...
6. Ces quelques mots pour vous exprimer notre gratitude pour...
7. Ce petit mot simplement pour vous dire...
8. Mon séjour dans votre maison de . . . . . a été très agréable ; ce fut l'occasion idéale pour échanger des idées sur notre projet.
9. Un(e) (cadeau) était précisément ce qu'il nous fallait.
10. Nous espérons vous revoir très prochainement.
11. Nous espérons pouvoir vous rendre bientôt votre hospitalité.
12. A nouveau, tous mes remerciements.
13. Je vous remercie beaucoup à nouveau.

REMERCIEMENTS POUR UN SÉJOUR CHEZ DES AMIS

Chers amis,
Comment vous remercier de la semaine que nous venons de passer chez vous ? Notre séjour dans votre coin d'Écosse tellement pittoresque et sauvage a été pour nous une révélation et nous en gardons un souvenir merveilleux. Nous avons été très sensibles à votre accueil si chaleureux et à toutes les attentions dont vous nous avez entourés. J'espère sincèrement que nous ne vous avons pas trop dérangés et que les enfants n'ont pas été trop bruyants.
En vous remerciant à nouveau de votre hospitalité, nous vous adressons toutes nos amitiés.

LETTRE DE REMERCIEMENTS POUR DES RENSEIGNEMENTS COMMUNIQUÉS

Cher Monsieur,
Je voudrais vous témoigner ici ma reconnaissance pour les renseignements que vous m'avez fait parvenir et qui me seront très précieux pour achever l'étude des marchés de votre région. Sans les recherches que vous avez si gentiment entreprises pour moi il m'aurait fallu effectuer un déplacement bien coûteux en temps. Si je peux à l'avenir vous être utile n'hésitez pas à me le faire savoir et ce sera avec plaisir que je vous rendrai un service semblable.
Avec toute ma gratitude, je vous prie d'accepter, cher Monsieur, l'expression de mes sentiments les plus amicaux.

REMERCIEMENTS A UN AMI QUI A PRÊTÉ UNE SOMME D'ARGENT

Merci mille fois de votre geste qui m'a infiniment touché. Mon imprévoyance m'a joué encore un bien vilain tour et je ne me pardonne pas d'être parti à l'étranger sans m'assurer que mon compte en banque était suffisamment approvisionné ! Je joins à ce mot un mandat international pour vous rembourser de la somme que vous m'avez si aimablement avancée.
Tous mes remerciements à nouveau et mes pensées les plus amicales.

LETTER OF THANKS FOR
A STAY WITH FRIENDS

Dear Mary and Paul[1],
How can we thank you enough[2] for the lovely week
we have just[3] spent at your house[4] ? It was a
revelation to discover how picturesque and wild[5]
your part of Scotland is. We will always treasure
happy memories[6] of our stay.
We were very touched by your warm welcome[7] and
hospitality[8]. I sincerely hope[9] that we didn't put
you out[10] too much and that the children weren't
too noisy.
Thanking you again for your hospitality...

LETTER OF THANKS FOR INFORMATION

Dear Sir,
I am writing to thank you for the information you
sent me. It will be very useful in helping me to
complete[11] my study of the markets in your region.
If you had not so kindly undertaken[12] the research
for me I would have had to make a very time-
consuming journey. If I can[13] ever help you in any
way do not hesitate to let me know, I would be only
too happy to return the service.
Thanking you once again...

THANKING A FRIEND WHO LENT A SUM OF MONEY

Dear Justin,
Many thanks[14] for the kind gesture which touched
me deeply. My lack of foresight[15] certainly got me
into a nasty mess again. I cannot forgive myself for
having gone abroad without checking that there
were sufficient funds in my bank account. I enclose
an International Money Order to cover[16] the sum
you so kindly lent me.
Once again my sincere thanks.

1. **Dear . . . . ,** Il est préférable d'adresser ses correspondants par leurs prénoms plutôt que de commencer par **Dear friends** employé souvent pour les circulaires ou publicités.

2. **How can me thank you enough...,** enough est nécessaire ici : par la traduction plus littérale **how can we ever thank you,** on demanderait quel cadeau ferait plaisir.

3. **have just spent,** passé immédiat qui traduit le français *venir de*. Remarquez la construction : auxiliaire **have** + **just** + participe passé. En anglais américain on trouverait le prétérit : **we just spent.**

4. **at your house,** *chez...* se traduit en anglais de différentes manières *chez moi, chez nous,* **at home,** *chez vous, chez eux,* **at your, at their house.** *Chez Pierre,* **at Peter's,** cas possessif incomplet mis pour **at Peter's house.**

5. **wild,** attention à la traduction de *sauvage* qui en français a deux sens : non touché par la civilisation, traduit en anglais par **wild (wild country, wild animals)** ou *féroce et bestial* rendu par l'adjectif **savage (a savage attack).** Si vous êtes amateur de *gibier* (**game**) ne demandez pas de **savage duck,** *(canard sauvage)* dans un restaurant !

6. **memories,** ne pas confondre avec **souvenirs** qui est l'objet que l'on rapporte de ses voyages.

7. **hospitality,** la traduction littérale : **the care with which you looked after us** serait plutôt adressée à une pension de famille.

8. **attentions,** trop ambigu, est à éviter également.

9. **sincerely hope,** var. **do hope.**

10. **put you out,** plus familier que la variante **disturbed.**

11. **complete,** notez les faux-amis **to complete** = *achever* **to achieve** = *réussir.*

12. **undertaken,** var., **carried out.**

13. **If I can ever help you,** var., **If at any time in the future I can...**

14. **many thanks,** var., **a thousand thanks.**

15. **my lack of foresight,** m. à m. *mon manque de prévoyance.*

16. **cover,** var., **refund, reimburse.**

Retrouver l'équivalent anglais
des mots et expressions ci-dessous :

		Corrigé :
1.	compte en banque.	1. **bank account.**
2.	attention.	2. **care.**
3.	vérifier.	3. **to check.**
4.	confiant, certain.	4. **confident.**
5.	déranger.	5. **to disturb.**
6.	aimer, apprécier.	6. **to enjoy.**
7.	agréable.	7. **enjoyable.**
8.	transmettre (des remerciements).	8. **to extend.**
9.	souvenirs agréables.	9. **fond memories.**
10.	prévoyance.	10. **foresight.**
11.	geste.	11. **gesture.**
12.	cadeau.	12. **present, gift.**
13.	renseignements.	13. **information (attention : singulier en anglais !)**
14.	manque.	14. **lack.**
15.	prêter.	15. **to lend, I lent, lent.**
16.	charmant (plusieurs traductions).	16. **delightful, lovely.**
17.	bruyant.	17. **noisy.**
18.	pittoresque.	18. **picturesque.**
19.	usine.	19. **plant.**
20.	se souvenir de quelque chose (ou quelqu'un).	20. **to remember something, someone.**
21.	rappeler quelque chose à quelqu'un.	21. **to remind someone of something.**
22.	rendre.	22. **to return.**
23.	qui prend du temps.	23. **time-consuming.**
24.	garder précieusement.	24. **to treasure.**
25.	rembourser.	25. **to refund.**
26.	entreprendre.	26. **to undertake.**
27.	sauvage.	27. **wild.**
28.	mandat international.	28. **International Money Order.**
29.	accueil chaleureux.	29. **warm welcome.**
30.	Je vous remercie de votre aide.	30. **I wish to thank you for your help / to express my thanks for your help.**

A. Voici des mots dont le français confond souvent le sens :

souvenir, memories, savage, wild, complete, achieve.

Complétez les phrases ci-dessous en employant les mots appropriés :

1. We spent a fortnight in Portugal and this is a little . . . . I brought back for you. **2.** I cannot . . . . the report without those statistics. **3.** How did you . . . . such a result ? **4.** Our National Parks are . . . . areas. **5.** Did you read the article about that . . . . attack ? **6.** Because of that stupid accident, we shall keep bad . . . . of our stay in Calcutta.

B. Corrigez puis traduisez les phrases obtenues

C. Traduisez en anglais :

1. Nous vous remercions beaucoup pour le cadeau que nous venons de recevoir. **2.** J'ai été enchanté de faire votre connaissance chez Paul. **3.** Ce fut un repas d'affaires très fructueux (fruitful).

A. 1. souvenir, **2.** complete, **3.** achieve, **4.** wild, **5.** savage, **6.** memories.

B. 1. Nous avons passé une semaine au Portugal et je vous ai rapporté un petit *souvenir*. **2.** Je ne peux *terminer* le rapport sans ces statistiques. **3.** Comment avez-vous *obtenu* un tel résultat ? **4.** Nos Parcs Nationaux sont des étendues *sauvages*. **5.** Avez-vous lu l'article sur cette attaque *sauvage* ? **6.** Nous garderons de mauvais *souvenirs* de votre séjour à Calcutta à cause de cet accident stupide.

C. 1. Thank you very much for the present (that) we have just received. **2.** I was delighted to make your acquaintance at Paul's. **3.** It was a very fruitful business dinner.

XV

FOREIGN BANKS

Les banques
à
l'étranger

Une banque émet une lettre
de crédit, un touriste fait une
demande de mise à disposition
de fonds, signale la perte de sa
carte de crédit, fait opposition
à un chèque.

A REVOLVING LETTER OF CREDIT

Crédit Rouennais,
. . . .

National Bank of Australia, Perth,
Honk Kong People's Bank, Hong Kong,
First National Bank, Kyoto,

Dear Sir,

<u>letter of credit N° F 227041</u>

Please be so good as to provide the bearer, Mr Alexis
PORTER, with such funds as he may need within
the limit of 25,000 FF (twenty five thousand French
Francs). Please note the amounts drawn by Mr
Porter on the back of this letter.
This letter of credit comes into force on Ist September
19.. until 7th October 19...
A specimen signature is provided below.
Yours faithfully,

Manager.

CORRESPONDENT'S ADVICE OF PAYMENT

Dear Sir,

<u>N° F 227041</u>

In your letter of 2 June you notified the issue of a
letter of credit serial number F 227041 to Mr Alexis
PORTER.
As instructed we have made payments to this
gentleman as follows :
25 June 1 100 FF
30 June 1 100 FF
 2 Aug. 1 700 FF
We enclose signed duplicate receipts together with
our sight draft for 4 227 FF covering these payments
and our charges.

ARRANGING FOR FUNDS TO BE AVAILABLE AT A BANK

Dear Sir,
Upon my arrival in Perth for an extended business
trip I opened a current account in my name at your
Perth branch. I am writing to confirm that I shall
shortly be leaving Perth for a short visit to Adelaide.
I would be obliged if you would arrange for me to have
open credit facilities at the main branch of the
National Bank of Australia in that town.

LETTRE DE CRÉDIT CIRCULAIRE

Crédit Rouennais,

. . . . . .

National Bank of Australia, Perth,
Hong Kong People's Bank, Hong Kong,
First National Bank, Kyoto,

Monsieur,

Lettre[1] de crédit n° F 227041

Je vous prie[2] de bien vouloir verser au porteur, M. Alexis PORTER, tous fonds qu'il jugera nécessaires dans la limite de 25 000 FF[3] (vingt-cinq mille francs français). Veuillez porter les sommes tirées par M. Porter[4] au dos de cette lettre de crédit qui entre en vigueur[5] le 1er septembre 19. . et sera valable jusqu'au 7 octobre 19. . . Vous trouverez ci-dessous un spécimen de la signature.

Le Directeur,

AVIS DE PAIEMENT DE LA BANQUE CORRESPONDANTE

Monsieur,

Votre lettre du 2 juin nous avisait[6] de l'émission d'une lettre de crédit n° F 227041[7] au nom de M. Alexis PORTER[8].

Nous avons, selon vos recommandations, versé à l'intéressé les sommes ci-après :

25 juin   1 100 FF
30 juin   1 100 FF
 2 août 1 700 FF

Ci-joint les copies des reçus signés ainsi que notre traite à vue[9] d'un montant de 4 227 FF, somme qui couvre les paiements et notre commission[10].

POUR QUE DES FONDS SOIENT A DISPOSITION DANS UNE BANQUE

Monsieur,

A mon arrivée à Perth pour un voyage d'affaires de longue durée[11], j'ai ouvert à votre succursale de Perth un compte courant à mon nom[12].

Je vous confirme par ce courrier mon prochain départ de Perth pour un séjour à Adelaide. Je vous saurais gré de me permettre la possibilité de retirer de l'argent[13] à la succursale principale de la National Bank of Australia de cette ville.

1. **letter of credit,** dans toute correspondance à caractère officiel, l'objet de la lettre doit figurer au-dessus ou à côté de la formule de salutation.
2. **Please be as good as . . . . . ,** var., **please be good enough to . . . . . such funds as he may need,** tournure idiomatique difficile à rendre en français : m. à m. *tels fonds dont il peut avoir besoin.*
3. **25,000,** attention aux chiffres en anglais : les dizaines sont ici séparée des milliers par une virgule tandis qu'en français on laisse simplement un espace. Inversement là où en français il y a virgule, il y aura point en anglais (**VAT** 15.5 %, mais TVA 15,5 %).
4. **Please note the amounts drawn by Mr Porter,** var., the amounts drawn by Mr Porter should be noted . . . .
5. **comes into force,** var., will be valid from 1st September . . . . .
6. **notified,** var., informed us of, remarquez l'emploi ici transitif du verbe **to notify,** généralement suivi de la préposition **of** (they notified the police of the theft).
7. **serial number,** serial est omis dans la traduction.
8. **a letter of credit to Mr Porter,** var., a letter of credit that you had made out in favour of Mr Porter. Together with, var., as well as.
9. **sight draft,** var., draft at sight.
10. **charges,** à différencier du mot anglais **commission,** qui représente un pourcentage alors que **charges** est en général une somme déterminée.
11. **extended,** var., **prolonged.**
12. **in my name,** En Grande-Bretagne, tout particulier peut ouvrir un compte en banque sous un nom d'emprunt.
13. **to have open credit facilities,** var., **to cash cheques and to draw upon my account,** l'homme d'affaires veut pouvoir effectuer des opérations bancaires (encaisser des chèques et tirer sur son compte) à la succursale située dans une autre ville.

1. I regret to report the theft of my CAMAF credit card N°.....
2. I assume the cheque has been lost in the post.
3. I would be grateful if you could make open credit facilities available at.....
4. We regret that we are unable to honour your recent cheque for $ 720 as the sum involved is greater than the credit facilities made available by your bank in Amiens.
5. We acknowledge receipt of your instructions to arrange for the transfer of funds to your account in Paris.
6. Would you please transfer £ 600 from my current account (checking account US) N° 0204451 (external) to my deposit account.
7. Please make available the sum of 7,000 FF less the amount of your charges and the amounts taken up with other correspondents.
8. Mr ..... is a valued customer and I would esteem it a personal favour if you would give him what help you can during his stay in your town.

---

1. J'ai le regret de vous signaler le vol de ma carte de crédit CAMAF n°.....
2. Je suppose que le chèque a été égaré dans le courrier.
3. Je vous serais reconnaissant d'ouvrir la possibilité d'opérations bancaires à .....
4. Nous sommes au regret de vous faire savoir que nous ne pouvons honorer votre chèque récent d'un montant de 720 $, la somme (impliquée) dépassant le crédit qui vous est ouvert par la banque d'Amiens.
5. Nous accusons réception de vos instructions concernant un virement de fonds sur notre compte à Paris.
6. Auriez-vous l'obligeance de virer £ 600 de mon compte courant étranger n° 0204451 sur mon compte d'épargne.
7. Veuillez mettre à ma disposition la somme de 7 000 FF, votre commision et les sommes retirées chez d'autres banques correspondantes ayant été déduites de ladite somme.
8. Mr ... est un client important, et vous me feriez une grande faveur en lui réservant le meilleur accueil pendant son séjour dans votre ville.

CONFIRMATION PAR ÉCRIT DE
LA PERTE D'UNE CARTE DE CRÉDIT

Messieurs,
        Perte de la carte de crédit CREDEX N° 22414246
Je vous confirme par la présente mon appel téléphonique du
29 mars vous signalant la perte de ma carte de crédit CREDEX
pendant mon voyage de Philadelphie à Chicago. Je dois effectuer
des déplacements aux États-Unis pendant 5 ou 6 semaines encore
et je désirerais obtenir une nouvelle carte aussitôt que possible.
...

DEMANDE D'OPPOSITION A UN CHÈQUE

Monsieur,
        Chèque N° 385965 compte courant N° 02345/72
                    (compte étranger).
Je vous confirme par cette lettre mon appel téléphonique de ce
jour vous priant de bloquer le chèque N° 385965 d'un montant
de £ 150 à l'ordre de l'AMCO Apartments Ltd.
Ce chèque a été émis en paiement d'une caution pour le loyer
d'un appartement. La société déclare désormais qu'elle ne trouve
aucune trace de ce chèque.

Réponse à la demande d'opposition à un chèque

Monsieur,
        Demande d'opposition au chèque N° 385965.
Nous sommes au regret de vous informer que nous ne sommes
pas en mesure de faire opposition au chèque N° 385965. Ce
chèque a été endossé avec le numéro de votre carte accréditive
et nous nous sommes trouvés dans l'obligation d'honorer votre
chèque et d'en effectuer le paiement.

DEMANDE DE DEVISES ÉTRANGÈRES

Monsieur,
Devant quitter Hong Kong sous peu pour une brève visite en
Australie, je vous serais obligé de bien vouloir tenir à ma disposition
la somme de 1 000 $ Australiens le 17 janvier au matin ; la valeur
en francs français de la dite somme devant être déduite du crédit
ouvert par le Crédit Lyonnais par la lettre de crédit N° Y30026.

CONFIRMING THE LOSS OF A CREDIT CARD

Gentlemen [1],
  loss of credit card CREDEX N° 22414246
I hereby [2] confirm my telephone call of March 29,
reporting the loss of my CREDEX credit card during
my journey from Philadelphia to Chicago. As I shall
be traveling [3] in the States for a further 5 or 6
weeks, I would like to arrange [4] for a replacement
card to be supplied [5] as soon as possible.

Sincerely yours,

REQUEST TO STOP A CHEQUE [6]

Dear Sir,
  cheque N° 385965 current account N° 02345/72
             (foreign account [7])
I am writing to confirm my telephone call of this
date requesting you to stop payment of cheque
N° 385965 for the sum of £ 150 drawn payable [8] to
AMCO Apartments Ltd. This cheque was made out [9]
as a security payment for the rent of an apartment.
The company now states that it is unable to trace [10]
the cheque.
Yours faithfully,

REPLY TO REQUEST TO STOP A CHEQUE

Dear Sir,
  Request to stop payment of cheque N° 385965
We regret that we are unable to stop payment of the
above cheque. The cheque in question has been
endorsed [11] with the number of your cheque card.
We were therefore [12] obliged to honour your cheque
and have effected payment.
Yours faithfully,

FORMAL REQUEST FOR FOREIGN CURRENCY [13]

Dear Sir,
I expect [14] to be leaving Hong Kong shortly for a
brief visit to Australia. I would be obliged if you
could arrange for the sum of 1,000 Autralian dollars
to be at my disposal on the morning [15] of the 17
January, the value in French Francs to be deducted
from the credit made available by the Crédit
Lyonnais on letter of credit N° Y30026.
Yours faithfully,

1. **Gentlemen,** lettre en anglais américain : remarquez l'emploi de **Gentlemen** suivi de deux points lorsqu'on s'adresse à une société. En anglais britannique, on aurait **Dear Sirs** suivi d'une virgule.

2. **hereby,** terme employé dans les lettres administratives, commerciales et dans les documents légaux ; on le trouve souvent dans la formule **I hereby testify that...**

3. **traveling,** orthographe américaine, **travelling** (GB).

4. **to arrange,** littéralement *faire le nécessaire, prendre des dispositions pour...*

5. **for a replacement card to be supplied,** remarquez la construction **for** + complément + infinitif où le complément d'objet direct est sujet de l'infinitif. **to be supplied** est ici à la voix passive.

6. **cheque** (GB), **check** (US).

7. **foreign account,** var., **external account,** compte tenu par un étranger.

8. **drawn payable, drawn** est le participe passé du verbe **draw** = *tirer, émettre* (prétérit **drew**). Également les noms **drawer** = *tireur,* **drawee** = *tiré.*

9. **was made out,** un exemple encore de la voix passive très utilisée dans le style administratif ou commercial que l'on préfère impersonnel : on évitera d'écrire **I made out the cheque...** Notez le verbe **to make out,** *faire, émettre un chèque.*

10. **to trace,** *retrouver la trace de.*

11. **has been endorsed,** var., **was covered by...**

12. **therefore,** éviter de placer ce mot en début de phrase.

13. **currency,** notez le singulier en anglais.

14. **I expect to be leaving,** var., **I shall be leaving,** les deux formes expriment un projet arrêté depuis un certain temps.

15. **On the morning of,** remarquez l'emploi de la préposition **on** lorsque l'expression est suivie de **of** ; mais on trouvera **in the afternoon, in the evening, in the morning** dans les autres cas.

Retrouver l'équivalent anglais
des mots et expressions ci-dessous :

	Corrigé :
1. compte courant.	1. current acount, (US) checking account.
2. succursale.	2. branch.
3. commission.	3. charge.
4. entrer en vigueur.	4. to come into force.
5. carte de crédit.	5. credit card.
6. devise.	6. currency.
7. copie.	7. duplicate.
8. endosser.	8. to endorse.
9. prolongé, de longue durée.	9. extended.
10. par la présente.	10. hereby.
11. émission (d'un document).	11. issue.
12. perte.	12. loss.
13. aviser, notifier.	13. to notify.
14. fournir ; verser.	14. to provide.
15. reçu.	15. receipt.
16. signaler.	16. to report.
17. caution.	17. security payment.
18. traite à vue.	18. sight draft.
19. déclarer un vol, etc.	19. to report.
20. faire opposition à un chèque.	20. to stop a cheque.
21. vol.	21. theft.
22. donc, par conséquent.	22. therefore.
23. retrouver la trace de.	23. to trace.
24. virement.	24. transfer.
25. valable.	25. valid.
26. recommandations, consignes.	26. instructions.
27. montant.	27. amount, sum.
28. tirer sur un compte.	28. to draw on an account, upon an account.
29. selon vos recommandations.	29. as instructed ; following your directions.
30. compte d'épargne, compte de dépôt.	30. savings account, deposit account.

VOCABULAIRE COMPLÉMENTAIRE :

as of, a compter du.

automatic cash dispenser, n., distributeur automatique de billets.

(bank) balance, n., solde.

banker's card, n., carte accréditive.

to cash a cheque, vb., encaisser un chèque.

to change FF into dollars, changer des francs en dollars.

(bank) charges, n., commission.

checking account (US), n., compte courant.

cheque book (GB), check book (US), n., chéquier.

to close an account, vb., fermer un compte.

credit transfer, n., virement de fonds.

crossed cheque, n., chèque barré.

deposit account, n., compte d'épargne.

direct debit, n., prélèvement direct.

drawee, n., tiré.

drawer, n., tireur.

to fill in a form, vb., remplir un formulaire.

counter/wicket/till/position, n., guichet.

to make a cheque out to..., vb., faire un chèque à l'ordre de...

overdraft, n., découvert.

(to be) overdrawn/to be in the red (fam.), être à découvert.

paying-in slip, n., bordereau de versement.

rate of exchange, n., taux de change.

standing order, n., ordre permanent.

(bank) statement, n., relevé bancaire.

stub (checkstub), n., souche (de chèque).

teller/cashier, n., caissier.

to withdraw money, vb., retirer de l'argent.

XVI

CURRICULUM VITAE

Curriculum vitae

Cinq exemples de curriculum vitae (américains, anglais...)

Toute votre personnalité transparaît dans un curriculum vitae, ne laisser donc rien au hasard.

N'exagérez pas, ne mentez pas, mais ne soyez pas trop modeste : soyez convaincu de la valeur de vos compétences.

Captez l'attention de votre lecteur : A4 (21 × 29,7) marge confortable, rubriques soulignées, dates en retrait.

Éviter la première personne (« I »), écrivez en style télégraphique.

Tapez votre CV sur une bonne machine à écrire.

CLASSICAL CV

Alice GOLDET,
32, bd de la Fleur,
75012 PARIS,
Born 12 November 1957
Married, 2 children

BUSINESS EXPERIENCE
1982-present day, Personal Secretary to the Personnel
Manager, *Parfums Floréal*, 13000 Marseilles
1979-1982, secretary, Personnel Department,
International Machines Plc, Rueil-Malmaison.
1978 July-September, temporary typist with
Lightning Temps, London, broad experience of
working in a variety of different companies.

EDUCATION
1979-Bilingual Secretarial Diploma, delivered by
the American Chamber of Commerce.
1978-Degree in Economics, Université de Rennes
1977-DUT Gestion et Administration
1975-Baccalauréat B

LANGUAGES
French, mother tongue,
English, fluent spoken and written
German, working knowledge

HOBBIES Riding, swimming (Club champion),
microcomputing.

REFERENCES, furnished on request.

LES DIPLOMES

Major (US), principal subject/specialization in (GB),
matière principale étudiée à l'Université.
Minor (US), secondary studies in... (GB), option...
Graduate (nom), *I am a graduate of the University
of . . . . (verbe), I graduated from Paris VII, I
graduated in Economics.* = Diplômé d'une
université, grande école ou IUT. *Également to
obtain the degree of . . . .* **Degree** = grade,
diplôme universitaire, **Diploma** = sanctionne
les études, les stages, les plus variés.

CV [1] CLASSIQUE

Alice GOLDET [2]
32, bd de la Fleur,
75012 PARIS,
née le 12 novembre 1957
mariée, 2 enfants

EXPÉRIENCE PROFESSIONNELLE [3]

1982-à ce jour, *secrétaire attachée au directeur du personnel,*
Parfums Floréal, *13000 Marseille.*
1979-1982, *secrétaire, service du personnel,* International Machines Plc, *Rueil-Malmaison.*
1978 juillet-septembre, *dactylo intérimaire chez* Lightning Temps [4],
*Londres, nombreuses expériences [5] de postes occupés dans les
sociétés les plus diverses.*

ÉTUDES [6]

1979-*Diplôme de secrétaire bilingue de la chambre de Commerce
américaine.*
1978-*Licence en Économie.*
1977-*DUT Gestion et Administration*
1975-*Bac B.*

LANGUES

*français, langue maternelle,
anglais parlé et écrit couramment.
allemand, connaissances pratiques.*

CENTRES D'INTÉRÊT, *équitation, natation (championne de club),
micro-informatique.*

RÉFÉRENCES, *fournies sur demande.*

NOTES

1. **CV,** abréviation familière de curriculum vitae, on peut également
   rencontrer les termes moins formels de **track record** (US),
   résumé, data sheet.
2. **Alice**..., commencez toujours par donner quelques indications
   sur votre état civil **(personal details / personal data).**
3. **business**..., var. **job history, professional experience, track
   record** (familier), **work experience, practical experience.**
4. **Temps, temporary employees** = intérimaires.
5. **broad experience,** var. **I acquired a broad**... mais il est
   préférable d'employer un style télégraphique.
6. **education,** on peut ajouter les matières étudiées **(subjects).**

CLASSICAL CV

PERSONAL DATA
DEVOZ, Loïc,
68 ter, rue Pilote,
Paris XXe
Tel. 687 94 23
French
Born 25 October 1955 at Villers-aux-Érables
(Somme).
Single

EDUCATION
1970-1974 Secondary education at the Lycée
international in Washington DC.
1974 Baccalauréat C (Maths).
1976 Diploma in Business Management, Dover
College, Washington DC (evening courses).

PROFESSIONAL EXPERIENCE
1974-1978 Work in various restaurants in the
Washington area, began as dishwasher, then
waiter, was finally promoted Head Waiter.
1978-1984 Management of a restaurant, The Plume
of Feathers, accountancy, general management,
restaurant recommended in Fodor's Guide 1983.
1984-1985 Management of a garage, 5 mechanics, 1
salesman, general repairs all makes. Turnover
$ 200,000, increased by 40 %.

MILITARY SERVICE
March 1985 to March 1986 Trainee officer in the
Infantry.

PROFESSIONAL EXPERIENCE
1986-1987 (July), Manager of the Hôtel Azur, a 2-
star hotel in Bordeaux.
1987 to the present day, Tour Operator with
SOLTOURS, place Leclerc, Paris V^e, in charge of
tours to North America.

LANGUAGES
fluent English, 15 years in Washington D.C.

REFERENCES furnished upon request.

CV CLASSIQUE

ÉTAT CIVIL
(adresse, etc.)
né le 25 octobre 1955 à [1] Villers-aux-Érables (Somme).
Célibataire.

ÉTUDES ET DIPLÔMES

1970-1974 *poursuite des études secondaires commencées en France, au Lycée français, Washington DC.*
1974 *Obtention [2] du Baccalauréat série C (mathématiques).*
1976 *Diplôme en Gestion et Administration, Dover College, Washington DC (cours du soir).*

ACTIVITÉS PROFESSIONNELLES

1974-1978 *Travail dans divers restaurants successivement comme plongeur, garçon puis chef de salle.*
1978-1984 *Gérance d'un restaurant, The Plume of Feathers, comptabilité, gestion, restaurant recommandé par le Fodor's Guide de 1983.*
1984-1985 *Gérance d'un garage, réparation toutes marques, personnel ; 5 mécaniciens, 1 vendeur. CA $ 200 000 augmenté de 40 %.*

SERVICE MILITAIRE

mars 1985-mars 1986, stage d'EOR, [3] accession au grade d'Aspirant chef de section...

ACTIVITÉS PROFESSIONNELLES

1986-1987 (juillet) *Gérant, Hôtel Azur, Bordeaux (2 étoiles).*
Depuis 1987 *Voyagiste, employé de la société SOLTOURS, place Leclerc, Paris Vᵉ, responsable des voyages en Amérique du Nord (Canada et États-Unis).*

LANGUES

pratique courante de l'anglais acquise durant 15 ans de séjour à Washington DC.

RÉFÉRENCES

fournies sur demande.

---

1. **at,** notez l'emploi de la préposition **at** devant un nom de village ou de petite ville alors que l'on écrira **in Lyon, in New York, in London...**
2. **Passed** peut être ajouté pour traduire *obtention.*
3. **trainee officer,** stage d'EOR n'a pas été traduit ; l'équivalent n'existant pas dans les pays Anglo-Saxons il est préférable de ne pas entrer dans de longues explications.

CLASSICAL CV

(name and address)
SINGLE
24 years old
completed military service.

OBJECTIVE
A position of responsibility in international marketing,

EDUCATION
June 19.... Baccalauréat C (Math).
June 19.... Passed the national competitive examination for entry to business schools.
September 19.... Diploma of the British Chamber of Commerce.
June 19.... Graduated from the Ecole Supérieure de Commerce de .... (Graduate Business School).
June 19.... Degree in International Law, prepared in parallel with business studies. University of Dijon.

PROFESSIONAL EXPERIENCE
September-November 19.... VINOFRA New York (leading importer of French wines), Marketing Executive involved in organisation of new product launch and acquisition of new retail outlets.
September-December 19.... KUMASA ELECTRONICS Dusseldorf, contributed to preparation of annual budget.
Preparation of a report on possible cost reductions, report adopted.

PROFESSIONAL TRAINING
July 19.... IBM Paris, accelerated training course in computer-based budget planning, based on IBM 3770L.

LANGUAGES
English, written 70 %, spoken 90 %, read 90 %
1 year at St John's Secondary School, Fulham,
German, written 60 %, spoken 90 %, read 90 %.

HOBBIES : travel, tennis, rugby (school team captain).

CURRICULUM VITAE CLASSIQUE

(nom, adresse)
célibataire,
dégagé des obligations militaires.

OBJECTIF
Un poste de responsabilité dans le marketing international.

ÉTUDES [1]
juin 19. . . . [2] *Baccalauréat C (math).*
juin 19. . . . *reçu au concours d'entrée aux Écoles de Commerce.*
19. . . . *Diplôme de la Chambre de Commerce Britannique*
19. . . . *Diplôme de fin d'études à l'École Supérieure de Commerce de . . . .*
juin 19. . . . *Diplôme universitaire en droit international (Université de Dijon), préparé parallèlement aux études de commerce.*

EXPÉRIENCE PROFESSIONNELLE
sept.-nov. 19. . . . *VINOFRA New York (grande maison d'importations de vins français), cadre collaborant au lancement d'un nouveau produit et à l'ouverture de nouveaux points de vente au détail.*
sept.-déc. 19. . . . *KUMASA ELECTRONICS Düsseldorf, participation au budget annuel, élaboration d'un rapport sur les moyens de réduction des dépenses, adopté ultérieurement.*

FORMATION PROFESSIONNELLE
juillet 19. . . . *IBM Paris, stage accéléré : élaboration des prévisions budgétaires par ordinateur (IBM 3770L).*

LANGUES
anglais écrit 70 %, [3] *parlé 90 %, lu 90 %, 1 an à la St John's Secondary School, Fulham,*
allemand, écrit 60 %, parlé 90 %, lu 90 %.

CENTRES D'INTÉRÊT
voyages, tennis, rugby (capitaine de l'équipe de l'école).

1. **education,** pour les candidats venant de terminer leurs études il est préférable de faire l'énumération des diplômes, stages... avant l'expérience professionnelle qui est en général restreinte. Inversement pour les autodidactes il est plus habile de faire ressortir l'expérience professionnelle qui viendra en tête.
2. **juin 19....,** vous pouvez également commencer par les derniers diplômes obtenus, ce qui a pour avantage de retenir immédiatement l'attention du lecteur sur vos dernières performances on date.
3. **languages,** il serait plus courant d'employer, **good command, fluent, working knowledge.**

CV FROM A YOUNG GRADUATE

Michel COURTEPAILLE,
3, place Grande,
01000 Bourg-en-Bresse, *France.*
French Nationality,
completed military service,
Single.

EDUCATION

June 197. Baccalauréat C (math).
197.-198. General Business studies at the Centre
    d'Études Supérieures de Management, École
    Supérieure de Commerce de Grenoble. (2 years in
    Grenoble, 1 year at Wolverhampton Polytechnic,
    England). Major in International Finance.
198.-198. Diplôme d'Études Supérieures de
    Management (Grenoble).
October 198. to the present day, Université d'Aix ;
    preparation of a Doctoral thesis on the
    application of flexible working hours to
    continuous production personnel (to be
    presented within the next month).

WORK EXPERIENCE

August 197.-February 198., ERTEX PROCESSING,
    London, (Plastic extrusions), general activies in
    the personnel department.
August-September 198., BURTAIN, Lyon
    (Management consultants),
    — analysis of customer's management methods,
    — preparation of a report on budget control for
    a new customer, report adopted.
February-August 198., SCHLUMBERGER, Calais
    (transformers),
    — Export Department, study of methods of
    reducing costs of export insurance.
    — preparation of a report on export targets and
    provisional marketing costs.
September 198. current, FRANTEC, Aix (integrated
    circuits), Assistant Personnel Officer.

SPECIAL QUALIFICATIONS

fluent English and German (mother German).

INTERESTS

Hang gliding, playing the viola.

CURRICULUM VITAE D'UN JEUNE DIPLOME

(adresse)
Nationalité française
dégagé des obligations militaires
célibataire

ÉTUDES

juin 197. Bac C (mathématiques).
197.-198. Études commerciales au Centre d'Études Supérieures de Management à l'ESCAE de Grenoble (2 ans à Grenoble, 1 année à l'école Wolverhampton Polytechnic en Angleterre), spécialisation en Finances internationales.
198.-198. Diplôme d'Études supérieures de Management (Grenoble).
octobre 198. à ce jour, préparation à l'université d'Aix d'un doctorat de 3e cycle [1] ayant pour sujet l'application du travail à la carte au personnel de production continue (thèse soutenue au cours du mois prochain).

EXPÉRIENCE PROFESSIONNELLE

août 197.-fév. 198. ERTEX PROCESSING, Londres (plastiques extrudés), activités diverses dans le département du personnel.
août-sept. 198. BURTAIN, Lyon (conseillers de gestion), analyse des méthodes de gestion du client, préparation d'un rapport sur le contrôle budgétaire pour un nouveau client, rapport adopté.
février-août 198. SCHLUMBERGET, Calais (transformateurs), département des Exportations - études des méthodes visant à réduire le coût des assurances sur les exportations. Préparation d'un rapport sur les prévisions des exportations et sur les hypothèses du coût du marketing.
sept. 198. à ce jour FRANTEC, Aix (circuits intégrés), adjoint au directeur du personnel.

COMPÉTENCES SPÉCIALES

parle couramment l'anglais et l'allemand (mère allemande).

CENTRES D'INTÉRÊT

Deltaplane, joue de l'alto.

---

1. **Doctoral thesis,** ou **Ph D** n'a pas d'équivalent exact dans le système français, se rapproche du Doctorat de 3e cycle.

CURRICULUM VITAE-American style

Philippe de MIRBEL,
22, rue Sébastien Aragon,
75015 PARIS,
Tel. 975 55 58
Birthdate 8 dec. 1945
Divorced.

CAREER OBJECTIVE

A research-management position allowing scope for
initiative and creative problem solving. Willing to
relocate.

EDUCATION

19. .-19. . night school classes in English, British
Institute, Paris.
19. . Seminars in Management methods, Université
de Paris VII.
19. . A 3-month course in High Voltage Installations
in extreme climatic conditions. EDF, Chantilly.
19. . PhD, University of Nebraska, Thesis on
Electrical installation planning on large sites.
19. . Diploma of Electrical Engineer, École
Supérieure de . . . . .
19. . Bac C (math).

EMPLOYMENT HISTORY

19. . current *Chief Site Engineer, Ndambo Project,
Sierra Leone,* experience in managing a large
site.
19. . *Assistant Chief Electrical Engineer,
Interrupteurs Lesage (Lyon),* reponsible for
quality improvement.
19. . *Shift Engineer, Sopaxo (France) Montcharet,*
ensuring continuous high-volume production.

LANGUAGES

French, mother tongue,
English, good speaking and reading ability.
Working knowledge of Portuguese and Swahili.

SPECIAL INTERESTS

Radio ham, built own equipment, Squash, area
champion.

REFERENCES

furnished upon request.

CURRICULUM VITAE style américain

(adresse)
né le 8 décembre 1945 [1]
Divorcé.

OBJECTIF [2]

Un poste dans la recherche / management permettant initiatives et créativité personnelles dans le traitement des problèmes. Mobilité géographique.

ÉTUDES [3]

19. .-19. . cours du soir d'anglais à l'Institut Britannique, Paris.
19. . séminaires de méthodes de gestion, Paris VII.
19. . stage de 3 mois : étude des installations à haute tension dans des conditions climatiques extrêmes, EDF . . . . .
19. . Doctorat, Univesity of Nebraska. Thèse sur la planification d'installations électriques sur des chantiers importants.
19. . Diplôme d'ingénieur en électricité à l'École . . . . .
19. . Bac C (mathématiques).

EXPÉRIENCE PROFESSIONNELLE

19. .-jusqu'à ce jour [4] Ingénieur en chef de chantier, projet Ndambo, Sierra Leone, expérience de direction d'un grand chantier.
19. . adjoint à l'Ingénieur en chef en électricité, interrupteurs Lesage (Lyon), chargé de l'amélioration de la qualité.
19. . Ingénieur d'équipe, Sopaxo (France, Montcharet, responsable veillant à la régularité de la production en masse.

LANGUES

français, langue maternelle, anglais, bon niveau parlé et écrit, connaissances pratiques de portugais et swahili.

CENTRES D'INTÉRÊT

Radio amateur, équipement créé de toutes pièces. [5] Squash, champion régional.

RÉFÉRENCES

fournies sur demande.

---

1. **birthdate,** (US), born (GB).
2. **career objective,** à placer en tête ou à la fin du CV. Ne soyez pas vague, donnez l'impression de savoir quel genre de poste vous désirez occuper mais ne soyez pas idéaliste non plus.
3. **education,** rubrique qui peut être omise. On peut mentionner simplement, **self-taught** = *autodidacte,* si peu ou pas d'études.
4. **current,** var., to date, to the present day.
5. **built own equipment,** même lorsqu'il s'agit d'un passe-temps faites mention de ce que vous avez réalisé.

Retrouver l'équivalent anglais
des mots et expressions ci-dessous :

1. comptabilité.
2. analyse.
3. gestion.
4. objectifs de carrière.
5. client.
6. diplôme universitaire.
7. anglais courant.
8. centre d'intérêt.
9. amélioration.
10. débouché.
11. lancement.
12. réussir à un examen, obtenir un examen.

13. poste.
14. compétences.
15. équitation.
16. chargé de.

17. à ce jour.
18. former.
19. chiffre d'affaires.
20. diplômé(e) d'université.
21. célibataire (adj.).
22. augmenter de 10 %.
23. marque (de voiture).
24. droit international.
25. langue maternelle.
26. autodidacte (dans une discipline donnée).
27. adjoint.
28. dactylo.
29. sur demande.
30. licence en économie.
31. obtenir son diplôme.
32. travail à la carte.

Corrigé :
1. accountancy.
2. analysis.
3. management.
4. career objectives.
5. customer ; client.
6. university degree.
7. fluent English.
8. hobby.
9. improvement.
10. outlet.
11. launch, launching.
12. to pass an exam (par opposition à to take, to sit for, qui signifient passer, se présenter à).
13. position.
14. qualification(s).
15. (horse-)riding.
16. in charge of, responsible for.
17. to date.
18. to train.
19. turnover.
20. university graduate.
21. single.
22. to increase by 10 %.
23. make.
24. International Law.
25. mother tongue.
26. self-taught.
27. assistant.
28. typist.
29. on request, upon request.
30. degree in economics.
31. to graduate.
32. flexible working hours, flextime.

XVII

JOB APPLICATIONS

Demandes d'emploi

- Lettres de motivation et de prétentions.
- Lettres de candidature non sollicitée.
- Réponses.

REQUEST FOR AN APPLICATION FORM

Mme Elise Pater,
4, rue Florès,
69000 Lyon,
May 17 19 . . . .

The Personnel Manager,
Exotours,
14, ave des Juges,
75005 Paris.

Dear Sir,
I was interested to note your advertisement of a
vacancy for a courier in the Herald Tribune for May
15. I would like to apply for this post and would be
obliged if you could forward a copy of the application
form to me at the above address.
Yours faithfully,

REPLY TO AN ADVERTISEMENT
(cv enclosed)

Dear Sir,
It was with great interest that I read the
advertisement for a young graduate to work in your
International Marketing Department. This is a job
for which I believe I am ideally suited.
I have already acquired some experience in the
marketing of similar products and have profited
from a number of training periods in foreign
countries. I speak fluent English and Spanish.
I enclose a copy of my curriculum vitae which will
give you further particulars of my career to date. Il
will be happy to supply any other details you may
require.
I hope you will give me the advantage of an
interview.
Yours faithfully,

Enc : CV

POUR OBTENIR UN DOSSIER DE CANDIDATURE

Mme Elise Pater,
4, rue Florès,
69000 Lyon

17, mai 19 . . . .
le Directeur du Personnel,
Exotours,
14, av. des Juges,
75005 Paris.

Monsieur,
J'ai relevé [1] avec intérêt l'annonce parue dans *Herald Tribune* du 15 mai relative au poste vacant [2] d'accompagnateur. Je souhaiterais postuler cet emploi et vous serais reconnaissant de bien vouloir m'envoyer à l'adresse ci-dessus un dossier de candidature.
Je vous prie de croire, Monsieur, à l'assurance de ma considération distinguée.

Réponse à une annonce
(accompagnée d'un CV)

Monsieur,
Votre annonce dans laquelle vous recherchez un jeune diplômé pour un poste dans votre service international de marketing a retenu toute mon attention [3]. C'est une fonction qui je pense répond parfaitement à mes compétences.
J'ai déjà acquis une certaine expérience dans la distribution de produits similaires et j'ai suivi un certain nombre de stages de formation [4] à l'étranger [5]. Je parle couramment anglais et espagnol. Ci-joint une copie de mon curriculum vitae [6] qui vous donnera des détails supplémentaires concernant ma carrière jusqu'à ce jour. Je serais heureux de vous fournir tout autre renseignement complémentaire.
Dans l'attente d'un entretien avec vous [7], je vous prie d'agréer, Monsieur, l'expression de ma considération distinguée.

PJ : [8] CV.

COMMENT RÉDIGER UNE BRÈVE LETTRE DE CANDIDATURE SOLLICITÉE ?

Essayez toujours d'adresser personnellement votre lettre (Dear Mr Green,). *Un coup de téléphone vous permettra de connaître le nom du directeur du personnel.*
— *Si l'annonce fait mention du nom de la personne qui recrute c'est à elle que vous adressez votre lettre.*
— *Répondez à l'annonce en commençant par dire quel est le poste qui vous intéresse et où vous avez vu l'annonce.*
— *Pour une candidature non sollicitée présentez-vous brièvement, faites un résumé de votre carrière, et exposez ensuite les raisons pour lesquelles vous posez votre candidature.*
— *Reprenez 3 ou 4 points essentiels de votre cv qui correspondent au profil du poste décrit dans l'annonce.*
— *Vous pouvez solliciter un entretien en fin de lettre.*
— *Choisissez un style direct de préférence, mais lorsque vous demandez une entrevue présentez votre requête au style indirect (I wonder + conditionnel, modaux, etc.).*

1. **I was interested,** remarquez l'emploi en anglais d'une tournure passive.
2. **vacancy,** substantif, également l'adjectif *vacant*.
3. **It was with great interest,** traduction littérale : c'est avec grand intérêt que j'ai lu...
4. **training period,** également *recyclage* = **retraining.** Faire un stage, suivre un stage, **to complete a training period, a traineeship.**
5. **foreign countries,** var. *abroad*.
6. **curriculum vitae,** ne pas employer l'abréviation *cv* dans une lettre.
7. **I hope you will give,** traduction littérale : j'espère que vous me donnerez l'occasion d'avoir un entretien.
8. **Enc,** abréviation de *enclosure* = *pièce jointe*.

___ *QUELQUES FAUX-AMIS DONT IL FAUT SE MÉFIER* ___

to pass an exam = *réussir un examen*, mais *passer un examen* = to take an exam.

ne dites pas **to realize studies,** mais **to carry out studies.**
achever = to complete, mais to achieve = *réussir, atteindre*.

1. I should like to apply for the post of .... as advertised in the International Secretary Weekly.
2. I should be very pleased to come for an interview at any time convenient to you.
3. Your advertisement in the Daily Echo for 4 August interested me greatly.
4. I have seen your advertisement for an Assistant Marketing Manager in Marketing Week for 22 February and should like to be considered for the post.
5. I am replying to your advertisement for a .... in this month's issue of the .... Journal.
6. I would be happy to send any details of my career that you may require.
7. I am anxious to broaden my experience and would greatly appreciate the opportunity of an interview.
8. I can make myself available for an interview at any time.
9. I look forward to hearing from you.
10. Hoping for a favourable reply.

---

1. J'ai l'honneur de poser ma candidature au poste de .... qui a fait l'objet d'une annonce dans International Secretary Weekly.
2. Je serais heureux de venir pour un entretien quand il vous conviendra.
3. Votre annonce parue dans le Daily Echo du 4 août m'a beaucoup intéressé(e).
4. J'ai relevé votre annonce recherchant un directeur adjoint de marketing parue dans Marketing Week du 22 février et j'ai l'honneur de poser ma candidature à ce poste.
5. En réponse à votre annonce concernant ...., parue dans le numéro de ce mois du .... Journal ....
6. Je serais heureux de vous transmettre tous détails se rapportant à ma carrière qui vous seraient nécessaires.
7. Je suis désireux d'approfondir mon expérience et vous me feriez une faveur en m'accordant un entretien.
8. Je me tiens à votre disposition pour une entrevue.
9. Dans l'attente de votre réponse...
10. En attendant une réponse qui je l'espère sera favorable...

LETTER OF APPLICATION WITH MOTIVATION

Dear Sir,
I wish to apply for the post of Export Manager,
recently advertised in the Export Times.
I am 31 years old, married, and have been working
as Assistant Export Manager for ARMCO Inc. for
the past 3 years. Since completing my business
school diploma in 19. . . . I have held a number of
posts in foreign countries. I have considerable
experience in exporting to communist countries and
speak English and Russian.
I now wish to broaden my experience and find a
position with more reponsibility. Further details of
my career and qualifications to date are contained
in the attached curriculum vitae.
I am available for an interview at your convenience.
Yours faithfully,

LETTER OF APPLICATION
(non-solicited)

Dear Mr Prest,
An experienced Electrical Engineer, I have been
working for SudOil in the Middle East for 5 years. I
now wish to relocate to Western Europe and would
be interested to learn whether you have a vacancy
in your company. I specialise in transformer
maintenance but would be interested in extending
my specialized knowledge in the right environment.
I attach a copy of my curriculum vitae which will
give you more complete details of my career to date.
Yours sincerely,

REPLY TO AN APPLICATION

Dear Mr Griffith,
Following your application for the post of . . . . in
our Meter Division I would be obliged if you would
attend for an interview on . . . . at . . . . .
Please contact my Secretary Mrs Brand to confirm
the appointment. The interview procedure will last
approximately 4 hours.
Yours faithfully,

cc PTR

LETTRE DE CANDIDATURE AVEC MOTIVATION

Monsieur,

J'ai l'honneur de poser ma candidature au poste de Directeur des Exportations qui a fait récemment l'objet d'une annonce dans l'Export Times.

J'ai 31 ans, je suis marié et j'exerce depuis 3 ans les fonctions de directeur adjoint des exportations pour la compagnie ARMCO. Depuis l'obtention de mon diplôme de l'école de commerce en 19.... j'ai occupé plusieurs postes à l'étranger. Je possède une grande expérience dans le domaine des exportations vers les pays de l'Est et je parle anglais et russe.

Je serais désireux maintenant d'élargir mon expérience et de trouver un poste comportant davantage de responsabilités. Vous trouverez des détails supplémentaires relatifs à ma carrière et à mes compétences jusqu'à ce jour dans le curriculum vitae ci-joint. Je me tiens à votre disposition pour une entrevue lorsqu'il vous conviendra.

LETTRE DE CANDIDATURE
(non sollicitée)

Monsieur,

Ingénieur confirmé en électricité, je travaille chez SudOil au Moyen Orient depuis 5 ans. Je souhaite désormais retrouver un poste en Europe occidentale et voudrais savoir s'il existe un poste vacant dans votre compagnie. Je suis spécialisé dans l'entretien des transformateurs mais je serais heureux de développer mes connaissances dans ma spécialité si les possibilités m'en sont données. Ci-joint un exemplaire de mon curriculum vitae qui vous donnera de plus amples détails sur ma carrière jusqu'à ce jour.

Réponse

Cher Monsieur,

Suite à votre candidature au poste de .... dans notre Service Compteurs je vous serais obligé de bien vouloir assister à une entrevue le .... à .....

Vous voudrez bien prendre contact avec Mme Brand, ma secrétaire, pour confirmation du rendez-vous. L'entretien aura une durée d'environ 4 heures.

Veuillez agréer ...

cc PTR

COMMENT EXPRIMER MOTIVATION
ET PRÉTENTIONS

Une lettre de candidature est en général une lettre où l'on se présente personnellement, surtout pour une lettre faisant la prospection de postes vacants dans les compagnies et qui exprime vos motivations et prétentions.

La partie de la lettre traitant de l'expérience, des études et des raisons pour lesquelles vous posez votre candidature doit présenter un style personnel mais le reste répondra au modèle classique des requêtes avec en particulier des phrases au style indirect. Pour éviter de commettre des maladresses dans les passages où vous vous présentez, les phrases doivent être courtes et directes ; le choix correct des adjectifs-clés est essentiel. Une liste des plus fréquents est donnée ci-dessous. Mettez en relief celles de vos qualités qui correspondent le mieux au profil du poste sollicité. Ne dites jamais à un employeur ce que fait sa société (« I wish to work in engineering, which is the activity of your company *»).*

● **Mots et expressions souvent employés dans les lettres de candidature accompagnés de leur traduction littérale.**

Éducation, training, knowledge, *études, formation, connaissances.*
valuable, *solide ;* **extensive / broad,** *étendu(es).*
general, *général(es) ;* **basic,** *de base.*
specialized, *spécialisé(es) ;* **applied,** *pratique, appliqué.*
on-the-job, *sur le tas ;* (On the job training / experience.)
I have extensive knowledge of accounting methods.
Je connais bien les différentes méthodes comptables.
Professional / work experience, *expérience professionnelle.*
in-depth, *approfondie,* **wide / broad,** *étendue.*
useful, *utile ;* **initial,** *première ;* **considerable,** *solide.*
rewarding, *qui apporte, qui m'a apporté beaucoup.*
Languages, *langues.*
fluent, *parlé couramment ;* **working knowledge,** *connaissances pratiques, se débrouille ;* **native speaker,** *de naissance.*
mother tongue, *langue maternelle.*

Ne pas utiliser l'adjectif **perfect-** *Mentionnez les séjours dans les pays étrangers, si un des parents est anglophone et si vous possédez des diplômes étrangers.*

1. **As a student at . . . . I specialized in . . . . .**
2. **I gained wide experience in . . . . during my post in . . . . at . . . . .**
3. **My immediate objective is to develop my management skills in a post of responsibility.**
4. **I graduated from . . . . College with the degree / diploma of . . . . in (subject).**
5. **For the past . . . . years I have been employed as a . . . . with . . . . Ltd.**
6. **In this post, I obtained wide experience and a thorough knowledge of . . . . .**
7. **I was responsible for . . . . .**
8. **I am writing to ask you whether you have any vacancies for . . . . .**
9. **I feel I have the necessary qualities and training needed for the position of . . . . as advertised in . . . . .**
10. **I would hope to apply my knowledge and experience to this post and am eager to undertake new responsibilities in a challenging position.**

1. Pendant mes études à . . . . je me suis spécialisé dans . . . .
2. J'ai acquis une grande expérience en . . . . lorsque j'occupais le poste de . . . . à . . . . .
3. Mon objectif premier est de développer mes capacités de gestion dans un poste à responsabilités.
4. J'ai fait mes études à l'Université de . . . . où j'ai obtenu mon diplôme de (matière).
5. Je suis employé à la compagnie . . . . Ltd où j'exerce les fonctions de . . . . depuis les . . . . dernières années.
6. Dans cette fonction, j'ai acquis une grande expérience et une connaissance approfondie de . . . . .
7. J'étais chargé de . . . . .
8. Je voudrais savoir s'il existe des postes vacants dans . . . .
9. Je pense posséder les qualités et la formation requises par le poste de . . . . qui a fait l'objet de l'annonce dans . . . . .
10. J'aimerais mettre en pratique mes connaissances et mon expérience dans ces fonctions et serais désireux de prendre en charge les nouvelles responsabilités d'un poste stimulant.

UNSOLICITED APPLICATION USING SOMEONE'S NAME

Dear Sir,

I am writing to you on the recommendation of Mr Blake, your European Manager. I was a student in his Management Communication seminars and he suggested that I might be ideally suited for a post in your Finance Department. I am single, speak English fluently and am willing to relocate. A recent graduate from . . . . I am especially keen to broaden my knowledge of American management methods. I believe that the opportunity of working for a dynamic international company like yours would provide me with invaluable experience.

I am looking for a post with reponsibility which will allow me to make full use of my management training in a challenging environment.

I enclose a copy of my curriculum vitae and would be happy to provide any further information should you require it.

Yours faithfully,

Dear Sir,

A graduate in Law, I majored in International Trade contracts and in particular in trade between Western Europe and the COMECON countries.

I have a good command of written and spoken English, German and Russian and completed my studies in International Law with a series of training periods in a number of different companies in order to make myself familiar with their specific problems. At this stage in my career I would like to play an active role in your International Relations Department.

Please find enclosed a copy of my curriculum vitae which will give you full details of my studies and experience. The Director of . . . . School, where I completed my higher education has kindly agreed to supply a reference. Should my application interest you I would be very happy to meet you at your convenience.

Yours faithfully,

CANDIDATURE NON-SOLLICITÉE
EN SE RECOMMANDANT DE QUELQU'UN

Monsieur,
C'est sur la recommandation de M. Blake, votre directeur européen, que je me permets de vous écrire. Étudiant, j'ai suivi ses cours de Communication et Gestion et il a suggéré que je pourrais être tout à fait compétent pour occuper un poste dans votre service financier. Je suis célibataire, parle couramment l'anglais et suis disposé à quitter ma région. J'ai récemment obtenu mes diplômes à .... et je serais particulièrement désireux d'élargir mes connaissances en méthodes américaines de management.
Je crois [1] qu'une compagnie internationale aussi dynamique que la vôtre me fournirait l'occasion d'acquérir une expérience des plus précieuses.
Je suis à la recherche d'un poste à responsabilités qui me permettrait de mettre en pratique ma formation en matière de management dans un milieu stimulant.
Je vous prie de trouver ci-joint un exemplaire de mon curriculum vitae mais je serais heureux de vous transmettre sur demande [2] tout renseignement [3] complémentaire.

Monsieur,
Je possède une formation de juriste et me suis spécialisé dans le commerce international, en particulier dans les échanges entre l'Europe occidentale et les pays du COMECON. Outre l'anglais, je parle et j'écris l'allemand et le russe couramment [4]. J'ai complété mes études de droit international par une série de stages effectués dans diverses entreprises afin de me familiariser avec leurs problèmes spécifiques. Je serais aujourd'hui [5] très heureux de pouvoir me joindre à votre service des relations internationales auquel j'aimerais collaborer activement.
Je vous prie de trouver ci-joint mon curriculum vitae qui vous donnera dans le détail le profil de mes études et de mon expérience professionnelle. Le directeur de l'école [6] de... où j'ai fait mes études supérieures a bien voulu m'autoriser à donner son nom comme référence. Au cas où ma candidature retiendrait votre attention, je serais très heureux d'avoir une entrevue avec vous si vous vouliez bien me fixer rendez-vous à votre convenance.

REMARQUES

Lorsque vous écrivez une lettre sollicitant un emploi, votre style doit être clair et précis. Évitez donc les adjectifs et verbes passe-partout qui dénotent un manque de rigueur et des lacunes regrettables dans votre vocabulaire.

— *N'écrivez pas :* « I got experience in... I got a diploma in... » *mais à la place du verbe* **to get** *utilisez :* « to acquire », « to obtain », « to complete », *etc.*

— « to do » *est également à éviter : recherchez (à l'aide du dictionnaire si votre mémoire vous fait défaut) le verbe exact dont vous avez besoin : les verbes les plus fréquents dans ce contexte sont* **to carry out, to complete, to achieve.**

— *l'adjectif* **important** *trop vague est à éliminer aussi, employez plutôt* « large », « biggest », « prominent », « major » ; « first » *est souvent employé à mauvais escient, lui préférer* **foremost** *ou* **leading.**

— *Choisissez les verbes employés avec* « policy » *(dans le sens de politique, ligne de conduite, pensée) parmi ceux-ci :* **to follow** *(suivre),* **to believe in** *(être partisan de),* **to apply** *(appliquer).*

NOTES

1. **I believe that... experience,** m. à m., *je crois que l'occasion de travailler pour une compagnie internationale dynamique comme la vôtre me fournirait une expérience des plus précieuses.*
2. **should you require it,** *traduit par* sur demande. *Remarquez l'emploi du modal* **should** *avec l'inversion* **should you,** *qui a pour sens* if by any chance you should require it.
3. **information,** *nom collectif, toujours au singulier est repris par* it *en fin de phrase ; également* a piece of information, *un renseignement.*
4. **a good command of,** *var. ;* I speak English fluently ; to make myself familiar with, *var., to acquire a closer knowledge of.*
5. **at this stage in my career,** *var.,* I would now like to... *qui montre cependant moins l'ambition du candidat.*
6. **School,** *est toujours précédé du nom de l'école,* **college** *se réfère toujours à un collège universitaire ou faculté.*

1. I have just learned that .... Inc. wish to recruit an executive for their Computer Department.
2. Madame Lelage, Personal Secretary to your General Manager has told me that there will shortly be a vacancy for a .... in your Complaints Department.
3. I am writing to you on the advice of .....
4. Your Chief Engineer at Rueil Mr .... has suggested that I write to you.
5. I have been working as Shift Engineer in Zambia for the last 4 years and now wish to broaden my experience in a post with greater responsibility.
6. I speak German, Spanish and English fluently and am willing to relocate anywhere in the world.
7. I am particularly interested in working for your company because I know you offer interesting careers for successful performers.
8. I am highly self-motivated and enjoy working under pressure.
9. I am especially attracted by your company because of its reputation

---

1. Je viens d'apprendre que la société .... désirait recruter un cadre pour son service informatique.
2. Madame Lelage, secrétaire personnelle de votre directeur général, m'a appris qu'il y aurait bientôt un poste vacant dans votre service réclamations.
3. C'est sur le conseil de   que je vous écris.
4. Votre Ingénieur en Chef à Rueil M. .... m'a conseillé de vous écrire.
5. Je travaille en qualité d'ingénieur d'équipe en Zambie depuis les 4 dernières années et désire maintenant élargir mon expérience dans un poste comportant davantage de responsabilités.
6. Je parle l'allemand, l'espagnol et l'anglais couramment et suis disposé à rejoindre un poste où que ce soit dans le monde.
7. Je désire particulièrement travailler dans votre compagnie car je sais que vous offrez une carrière intéressante à des cadres performants.
8. J'ai beaucoup de motivation personnelle et aime travailler dans des conditions difficiles.
9. Je suis particulièrement attiré par votre société de par sa réputation.

REPLIES TO JOB APPLICATIONS

Dear Mr Schick,
Thank you for your application for the recent
vacancy for a Marketing Executive.
The candidates were all of an extremely high
standard and I am sorry to inform you that your
name has not been included among those to be
called for interview.
On behalf of M. Tourneur I would like to thank you
for your interest in Galampoix and Scheldt.
Yours sincerely,
M. Petit,
Assistant to the Personnel Manager.

Dear Mr Brown,
Thank you for your letter of 7 January enquiring
about the possibility of a vacancy in our Insurance
Department. Unfortunately, our Lyons office is fully
staffed at present but we will not fail to contact you
should a suitable vacancy occur.
Yours sincerely,

PHRASES COMPLÉMENTAIRES

1. I am sorry to tell you that the vacancy has now been filled.
   J'ai le regret de vous informer que le poste vacant est désormais pourvu.
2. I am sorry to inform you that your application was unsuccessful.
   Je suis au regret de vous informer que nous ne pouvons donner suite à votre candidature.
3. Further to your letter of 4 August we are sorry to inform you that your application has not been retained.
   Suite à votre lettre du 4 août, nous sommes au regret de vous informer que votre candidature n'a pas été retenue.

RÉPONSES

Monsieur,

Nous vous remercions de votre candidature au poste récemment vacant de cadre [1] marketing. Les candidatures présentaient toutes un excellent niveau et je suis au regret de devoir vous informer que vous n'avez pas été retenu parmi ceux qui seront [2] convoqués à passer un entretien [3]. Je voudrais de la part de M. Tourneur vous remercier de l'intérêt que vous portez à la compagnie Galampoix et Scheldt et vous prie d'agréer...
Adjoint au Directeur de Personnel,
M. Petit.

Cher Monsieur,

Nous vous remercions de votre lettre du 7 janvier par laquelle vous vous renseigniez sur d'éventuels postes vacants dans notre département d'assurance. Malheureusement le personnel de nos bureaux de Lyon est au complet [4] pour l'instant, mais nous n'hésiterons pas à vous contacter au cas où [5] un poste qui vous conviendrait se trouverait [6] vacant.

---

1. **executive,** est un terme général recouvrant en français la notion de « *cadre* ».
2. **those to be called,** structure plus concise mise pour **those that are to be called,** où le modal **be to** est sous-entendu (**be to** indiquant ici un événement décidé préalablement et dont on a la certitude qu'il se déroulera).
3. **called for interview,** var., **shortlisted.**
4. **fully staffed, staff** est ici verbe. Également **the staff** = *le personnel*, nom collectif au singulier.
5. **should,** notez l'emploi de **should** en tête de la proposition conditionnelle, plus recherché que l'habituel **if** ou **in case.**
6. **occur,** var., **should a suitable post fall vacant...**

Retrouver l'équivalent anglais
des mots et expressions ci-dessous :

1. annonce (poste à pourvoir, publicité).	**Corrigé :** **1. advertisement (abréviation : ad.).**
2. faire acte de candidature.	**2. to apply.**
3. recyclage.	**3. retraining.**
4. approfondi.	**4. thorough, in-depth.**
5. un diplômé.	**5. a graduate.**
6. pièce jointe.	**6. enclosure (abréviation : encl.).**
7. numéro (d'un journal).	**7. issue.**
8. sur le tas.	**8. on-the-job.**
9. cadre.	**9. executive.**
10. ordinateur.	**10. computer.**
11. occuper un poste.	**11. to hold a post, a position.**
12. approximativement.	**12. approximately.**
13. désireux de.	**13. eager to, anxious to, keen to.**
14. stimulant.	**14. challenging.**
15. service réclamations.	**15. Complaints Department, Claims Department.**
16. se produire.	**16. to occur.**
17. être convoqué pour un entretien.	**17. to be called for (an) interview.**
18. études supérieures.	**18. higher education ; university studies.**
19. se renseigner sur, demander des renseignements sur.	**19. to inquire (enquire) about.**
20. j'ai l'honneur de...	**20. I wish to...**

FONCTIONS : JOB TITLES

adjoint : assistant. *agent :* agent. *analyste :* analyst. *attaché :* assistant, attaché, employé. *cadre :* executive. *chef :* chief . . . ., head of . . . ., manager, director. *comptable :* accountant. *conseiller :* advisor, counsellor. *consultant :* consultant. *contrôleur :* supervisor, controller. *directeur :* manager, director. *regional :* district, area. *expert comptable :* Chartered Accountant, (US) Certified Public Accountant. *ingénieur :* engineer. *représentant :* representative. *responsable :* in charge of . . . ., head of . . . .. *secrétaire :* secretary. *voyageur de commerce :* commercial traveller. *VRP :* representative.

XVIII

CERTIFICATES, REFERENCES,

TESTIMONIALS.

Certificats. Références.

Diverses attestations d'employeurs, de directeur d'études, recommandant employés et étudiants en vue d'un stage ou d'un premier emploi dans une entreprise, université, école...

A CERTIFICATE OF EMPLOYMENT

I, the undersigned, John Clement AKIN, Personnel
Manager of PHENIX COPPER MINES, Lutoso, certify
that John Henri DUMONT was employed by this
company as Quality Controller from June 1982 to
April 1984.
Signed.
J.C. Akin.

A TESTIMONIAL

To whom it may concern.

Mme Norma PELPOND.
I am very pleased to be able to recommend Madame
Pelpond to you. Madame Pelpond has been in our
employ as Personnel Secretary to the Export
Manager since 1978. She has always proved herself
to be exceptionally able and conscientious. She will
be a credit to any company which employs her.

A FAVOURABLE REFERENCE

Private and confidential.

Pillet et Tallez SA,
5, square Fontaine,
51000 Reims.

The Staff Manager,   12 May 1984
Korning, Rimple and Cadet,
Manpower Services,
3, Jermyn Street,
London SE2 3 SD.

Dear Mr Takomo,
In answer to your letter making inquiries about Ms
Renée LIMP I can assure you that she is an
extremely intelligent and hard-working person who
has a sound grasp of auditing techniques. Ms Limp
successfully completed a number of very difficult
audits for us and we were very sorry to lose her.
I am sure your client will find her a valuable
employee.
Yours sincerely,

CERTIFICAT D'EMPLOI

Je soussigné, John Clement AKIN, directeur du personnel[1] de PHENIX COPPER MINES, Lutoso, certifie[2] que Jean Henri DUMONT a été employé par ladite société au poste de Contrôleur de qualité de juin 1982 à avril 1984.
Signé.

RÉFÉRENCE PROFESSIONNELLE[3]

Mme Norma PELFOND
C'est avec plaisir que nous recommandons Madame Pelpond. Madame Pelpond fait partie[4] de notre personnel[5] en qualité de secrétaire attachée au directeur des exportations depuis 1978. Elle s'est toujours révélée[6] très compétente et consciencieuse dans son travail et la compagnie qui l'engagera trouvera en elle une collaboratrice précieuse[7].
Pour valoir ce que de droit.

RÉFÉRENCE FAVORABLE

Strictement confidentiel
Pillet et Tallez SA,
5, square Fontaine,
51000 Reims.

Le 12 mai 1984
The Staff Manager,
Korning, Rimple & Cadot,
Manpower Services,
3, Jermyn Street,
London SE2 3SD.

Cher Monsieur,
En réponse à votre lettre par laquelle vous nous demandez des renseignements concernant Mlle Renée LIMP je certifie[8] qu'elle est très capable et extrêmement travailleuse, et qu'elle maîtrise parfaitement les techniques d'audit. Mlle Limp a exécuté pour notre société un certain nombre d'audits très délicats et nous avons été désolés de la voir nous quitter.
Je suis certain[8] que votre client trouvera en elle une employée de valeur.
Je vous prie. . . .

1. var., **Staff Manager.**
2. var., **testify.**
3. **testimonial,** référence, attestation rédigée par l'employeur et en général délivrée à son employé donc non confidentielle. Ceci se retrouve dans l'expression **To whom it may concern** (m. à m. à celui que cela peut concerner), rendu en fin de lettre par : *Pour valoir ce que de droit.*
4. **has been in our employ since 1978.** Remarquez le present perfect **has been** (traduit en français par un présent de l'indicatif) justifié par la présence de **since** qui indique une action ayant débuté dans le passé et se poursuivant dans le présent. Au moment où la référence est rédigée, Mme Pelpond est toujours employée par la compagnie.
5. **has been in our employ,** var., **working for us, a member of our staff . . .**
6. **she has always proved . . . . . conscientious,** var., *elle a toujours fait preuve de haute compétence et de conscience professionnelle.*
7. **to be a credit to,** traduction littérale, *elle fera honneur.*
8. **assure,** normalement **assure** indique que l'on a émis des doutes sur une question (sa compétence). Ici l'auteur veut simplement insister sur ses qualités.

_____ VOCABULAIRE COMPLÉMENTAIRE _____

dynamique, lively, energetic, dynamic.
s'investit à fond, committed (adj.).
esprit novateur, creative (adj.), (has an) original mind.
compétence confirmée en . . . . . , (has) proven ability in . . . .
rigueur intellectuelle, (has a) rigorous mind/approach.
ambitieux, ambitious (adj.), (is) self-motivated.
animateur d'hommes, (has/possesses) leadership skills, (is) capable of leading.
approche réaliste, (has a) good business sense, (has a) flair for business, (is) commercially aware.
curiosité intellectuelle, (has an) enquiring mind.
esprit méthodique, (has) good organisational ability.
digne de confiance, (is) reliable.

1. **This is to certify that ..... was an employee of this company from ..... to .....**
2. **Mr ... occupied the position of ... at a salary of ... from 1st May 1982 to 6th November 19...**
3. **Mr Dumont joined our staff in Grenoble and was quickly promoted to Manager.**
4. **During her period of employment with us Mme Lelièvre was .....**
5. **I am happy to give Miss Drai an unqualified reference.**
6. **We are sorry that we cannot give you a favorable report on .....**
7. **During his last year with us the quality of his work suffered because of ill-health. If he has recovered you will find him an excellent employee.**
8. **I regret that I would prefer not to give Mr Green a reference.**
9. **The information you could give us will, of course, be treated in strict confidence.**

1. Je certifie par la présente que ..... a été employé par notre société de ..... à ......
2. M. a occupé le poste de ..... avec une rémunération de ..... du 1er mai 1982 au 6 novembre 19...
3. M. Dumont a été engagé par notre Maison à Grenoble et a obtenu rapidement une promotion au poste de Directeur.
4. Lorsque Mme Lelièvre travaillait dans notre compagnie, elle était .....
5. J'ai le plaisir de vous donner une excellente référence concernant Mlle Drai.
6. Nous avons le regret de ne pouvoir vous donner de renseignements favorables sur .....
7. Au cours de la dernière année qu'il a passée dans notre Maison, la qualité de son travail a baissé en raison de sa santé. Si celle-ci s'est améliorée vous trouverez en lui un employé excellent.
8. Je suis au regret de devoir m'abstenir de vous transmettre une lettre de référence concernant M. Grenn.
9. Les renseignements que vous pourriez nous donner seront tenus bien sûr comme strictement confidentiels.

ACADEMIC REFERENCES

JULES LATOUR

Jules Latour was a student at the Ecole des Affaires
from September 1979 to June 1982 and obtained
the Diplôme des Affaires with distinction.
Throughout his period of studies at the school Jules
Latour impressed his teachers by his imaginative
yet rigorous approach to his coursework. His marks
were always well above average and his final year
dissertation was outstanding. I have no hesitation
in recommending M. Latour for any post for which
he may apply.

I am glad to be able to recommend Julie Destors to
you most warmly.
She will graduate here in June and is fully expected
to obtain a distinction in the diploma of . . . . . .
During her studies in our school Mlle Destors
specialized in . . . . . . Julie Destors is a very lively
and intelligent student with an enquiring mind. She
has impressed all her teachers with her energy and
enthusiasm in the pursuit of her studies and has
acquired a very sound knowledge of the subjects
she has studied.
She has an excellent working knowledge of the
English language.
I am quite confident that Mlle Destors would be an
outstanding member of any department she wished
to join.

Signed,

Dean of Studies.

RÉFÉRENCES UNIVERSITAIRES [1] (type anglais)

JULES LATOUR

Jules Latour a été [2] étudiant à l'École des Affaires de septembre 1979 à juin 1982, date à laquelle il a obtenu [3] le Diplôme des Affaires avec mention.

Tout au long [4] de ses études dans notre école Jules Latour a frappé ses professeurs par son esprit imaginatif mais cependant [5] rigoureux dans ses méthodes de travail. Ses résultats ont toujours été largement au-dessus de la moyenne et son mémoire de fin d'études [6] était brillant. C'est sans réserve que je recommande M. Latour pour quel que poste qu'il désirerait [7] solliciter.

J'ai le plaisir [8] de recommander très chaleureusement auprès de vous Mlle Julie Destors. Elle passera [9] son examen final [10] au mois de juin, et a toutes les chances [11] d'obtenir une mention au diplôme de . . . . . [12].

Pendant ses études dans notre école, Mademoiselle Destors s'est spécialisée dans . . . . . .

C'est une étudiante très vivante, ayant beaucoup de capacités intellectuelles et une curiosité d'esprit très développée. Tout au long de ses études, elle a frappé tous ses professeurs par son dynamisme et son enthousiasme, et elle a acquis des connaissances pratiques en anglais.

Je suis certain que Mademoiselle Destors serait un élément brillant [13] de la section [14] dont elle voudrait faire partie.

Le Directeur des études [15].

1. **references,** les lettres de références données en page 5 sont des originaux anglais traduits en français.
2. **was,** les verbes sont ici au prétérit : au moment de la rédaction de la lettre Jules Latour a quitté l'école.
3. **obtalned,** var., **passed.**
4. **throughout,** var., **during,** mais **throughout** insiste davantage sur la totalité de la durée.
5. **yet,** marque ici l'opposition entre les deux adjectifs **imaginative** et **rigorous.**
6. **final year dissertation,** ne pas traduire ici par le mot français *dissertation* (en anglais **essay**). Il s'agit ici d'un *mémoire* sur un sujet donné que l'étudiant en fin de cycle doit présenter.
7. **may apply,** traduction littérale *qu'il puisse solliciter,* le modal **may** indiquant l'éventualité de l'action.
8. **glad,** var., **it gives me pleasure** . . . . .
9. **will graduate** . . . . . , var., **she is expected ot graduate** . . . . .
10. **to graduate,** obtenir un diplôme qui sanctionne plusieurs années d'étude à l'université ou dans une grande école, utilisé dans un sens plus général aux USA pour tout diplôme obtenu après les études secondaires.
11. **is fully expected,** remarquez la tournure passive avec le verbe **to expect.** L'adverbe **fully** indique la certitude du locuteur, autre traduction possible : *nous attendons tous à ce qu'elle obtienne* . . . . .
12. **diploma,** plus général que **degree,** décerné par les universités.
13. **member,** var., **an outstanding recruit for any employer,** ou, **could distinguish herself in the studies for a master's degree,** ou **an outstanding research student.**
14. **department,** dans le cas d'une référence adressée à une compagnie : **department** = *service.*
15. **Dean of studies** (US), **Head of department** (GB).

1. C'est avec grand plaisir que je recommande M. X.
2. Il a occupé cette fonction à plein temps de . . . . à . . . .
3. Je serai enchanté de lui servir de référence pour tout emploi auquel elle postulerait.
4. Elle a déjà manifesté les qualités nécessaires pour réussir dans la carrière de . . . .
5. Il a réussi aussi bien que possible compte tenu de la brièveté de la période où il a travaillé en tant que . . . .
6. N'hésitez pas à me contacter pour de plus amples renseignements.
7. Ses résultats ont été uniformément excellents.
8. Je puis vous assurer de sa compétence et de son sérieux.
9. Il a été promu au bout d'un an, ce qui n'arrive que rarement dans le cas, qui était le sien, d'une expérience antérieure limitée.
10. Elle s'est très bien entendu avec l'ensemble du personnel.
11. Nous regretterions de le voir partir, mais nous comprenons sa décision de se porter candidat à un poste qui lui donne davantage de responsabilités.
12. Il n'a pas manqué une journée depuis qu'il travaille chez nous.
13. Aucun duplicata de cette attestation ne peut être fourni. Prière d'en faire établir des copies légalisées.
14. Je me permets de vous adresser ci-incluse une candidature qui me paraît particulièrement intéressante.

---

1. I have great pleasure in recommending Mr X . . . .
2. He worked full-time in this post from . . . . to . . . .
3. I should be delighted to act as a referee on her behalf in respect of any job for which she may apply.
4. She has already shown/demonstrated the qualities required to make a success of a career in . . . .
5. He has done as well as he possibly could in the relatively short time he has been involved in . . . .
6. Please feel free to contact me if you require further information.
7. His/Her performance has been consistently excellent.
8. I can testify to his/her competence and dedication/conscientiousness.
9. He was promoted after one year, which would happen very rarely with somebody of his limited previous experience.
10. She got on very well with other staff members.
11. We would be sorry to lose him, but understand his decision to apply for a position with more responsibility.
12. Since he joined us, he has not missed a day of work.
13. No duplicate of this document/certificate will be issued. Please have certified copies made.
14. I take the liberty of sending you the enclosed application, which would seem particularly suitable.

ACADEMIC REFERENCES (US)

<u>TO WHOM IT MAY CONCERN</u>

I have known ..... for two years, in my capacity of ..... and because she attended two of my business English courses.

She is a very intelligent, dedicated student, keenly motivated for a business career. She has a genuine taste for research and teamwork, and her contribution to classroom discussions has been consistently outstanding.

She combines a strong personality and great leadership potential with a natural sense of human relations. She speaks and writes English fluently and is conversant with the language of Business and Economics.

Studying for an MBA is a natural step for her to take at this stage and I am convinced she would derive the utmost benefit from attending the University of ......

Given the applicant's sense of purpose, and her high intellectual and moral qualities, I wish to give her the strongest possible recommendation.

*

Mr ..... is currently in his third year at ..... and will graduate in June. He ranks among the best students in his class (top 5 %), and his academic record, as evidenced by the enclosed transcript, is excellent.

I readily endorse his plan to attend your university, where he will find the proper environment and guidance for the type of research he contemplates. Mr ..... speaks and writes fluent English and will have no communication or adjustment problems whatsoever.

I am confident he will successfully complete the program he wishes to embark upon, and will prove to be a qualified ambassador for our School.

RÉFÉRENCES UNIVERSITAIRES

Je connais Mademoiselle . . . .[1] depuis 2 ans, en ma qualité de
. . . . .[2], et parce qu'elle a suivi deux de mes cours d'anglais des
affaires.

C'est une étudiante intelligente, qui prend ses cours très au
sérieux[3], et montre une forte motivation pour une carrière dans
l'entreprise. Elle a un goût certain pour la recherche et le travail
en équipe, et ses interventions lors des débats menés en classe
ont toujours été[4] remarquables. Elle associe une forte personnalité
et de grandes aptitudes au commandement[5] à un sens naturel des
rapports humains. Elle parle et écrit l'anglais couramment et
connaît bien[6] la terminologie des affaires et de l'économie.

La préparation d'un M.B.A.[7] est une étape logique à ce stade de
ses études[8], et je suis convaincu que les cours de l'Université de
. . . . . lui seront du plus grand profit[9].

En raison de la solidité de sa motivation[10] et de ses grandes
qualités intellectuelles et morales, je recommande[11] cette candidate
de façon très chaleureuse.

*

Monsieur . . . . . est actuellement en troisième année à . . . . . et
doit obtenir son diplôme[12] en juin. Il figure[13] parmi les meilleurs
élèves de sa promotion (meilleurs 5 %)[14] et ses résultats[15], comme
en témoigne le dossier[16] ci-joint, sont excellents.

Je souscris tout à fait[17] à son projet de suivre des cours dans
votre Université, où il trouvera l'environnement et l'encadrement[18]
nécessaires au type de recherche qu'il envisage.

Monsieur . . . . . parle et écrit couramment l'anglais et n'aura
aucun problème de communication ou d'adaptation.

Je suis convaincu[19] qu'il terminera avec succès le programme[20]
qu'il souhaite suivre et qu'il se révèlera être un excellent ambassadeur pour notre École.

1. **the applicant,** *le candidat* ou *le nom du candidat* (de la *candidate*).
2. par ex. **Dean of Studies** *(directeur des études)*, **Head of Department, Head of the ..... Department** *(directeur de département, chef de service)*, **Professor** *(professeur en titre)*, **Lecturer** *(conférencier, chargé de cours, (maître-)assistant,* etc.
3. **dedicated** : *dévoué, travailleur, consciencieux ;* insiste davantage sur la motivation que **hard-working.**
4. **consistent** : *cohérent, homogène.*
5. autre traduction : *grand sens des responsabilités, bonne aptitude à diriger.*
6. syn. : **familiar with.**
7. **Master of Business Administration ;** correspond à peu près à une bonne *maîtrise de gestion.*
8. m. à m. : *un pas* (une étape) *naturel(le) à ce stade.*
9. m. à m. : *elle tirerait le plus grand profit de suivre.....*
10. sens de la continuité dans l'effort, netteté des objectifs, résolution, détermination.
11. m. à m. : *je souhaite,* mais **wish** est ici une forme plus polie que **want,** tout en correspondant à un désir très ferme.
12. cf. **a graduate,** *un diplômé ;* **a degree,** *un diplôme, grade universitaire.*
13. **How would you rank (rate) the applicant ?** *Comment situez-vous le candidat ?* (par rapport à ses condisciples) ? est une question traditionnelle dans les formulaires des universités américaines.
14. les universités US demandent souvent ce classement en pourcentage (**top 5 %, top 10 %** etc.) plutôt que des notes (**marks** ou **grades).**
15. *dossier universitaire, bulletin de résultats.*
16. document sur lequel sont reportés les résultats, unités de valeur (**credits**) etc.
17. **to endorse :** *avaliser, endosser,* d'où : *soutenir, approuver, appuyer, souscrire à.*
18. **guidance :** *conseils,* « gouverne ».
19. **confident :** *confiant(e),* d'où : *sûr(e), assuré(e), certain(e).*
20. orthographe US ; s'écrit **programme** en anglais britannique.

Retrouver l'équivalent anglais
des mots et expressions ci-dessous :

Corrigé :

1. se renseigner.	1. to enquire, to inquire, to make enquiries/inquiries.
2. candidat.	2. applicant.
3. travail en équipe.	3. teamwork.
4. en qualité de.	4. in the capacity of.
5. référence, attestation.	5. testimonial.
6. faire honneur à (une institution, etc.).	6. to be a credit to.
7. Directeur des Études.	7. Dean of Studies.
8. directeur de département, chef de service.	8. Head of Department.
9. note (scolaire).	9. mark ; grade.
10. résultats universitaires.	10. academic record.
11. brillant, remarquable.	11. outstanding.
12. se révéler être.	12. to prove to be.
13. soussigné.	13. undersigned.
14. tout au long de.	14. throughout.
15. tirer le plus grand profit de.	15. to derive the utmost benefit from.
16. digne de confiance.	16. reliable.
17. souscrire à un projet (donner son accord à).	17. to endorse a plan, a project.
18. moyenne.	18. average.
19. unité de valeur.	19. credit.
20. énergétique.	20. energetic.

Vocabulaire complémentaire :

alumnus, pl. alumni (US) : ancien élève. **character :** moralité. **to complete a training period** : accomplir, faire un stage. **concentration** : option (cours). **core courses** : cours de base, de tronc commun. **dedication** : dévouement, motivation, conscience professionnelle. **to enrol(l) in** : s'inscrire à (cours, programme, université). **internship** (US) : stage en entreprise. **professional ethics** : déontologie. **referee** : garant, répondant, recommandataire (personne qui recommande, qui se porte garant). **scholarship** : bourse. **syllabus** : programme des études. **traineeship** : stage. **tuition fees** : frais de scolarité.

A. Traduire
Lettre de références professionnelles
Je, soussigné, directeur des études à l'école de . . . . .
certifie avoir employé Monsieur Joël HERTOUT en qualité
de professeur de cours de comptabilité du 7 octobre au
3 juin 1981. Il a toujours été très consciencieux et a laissé
l'impression à tous d'un employé dynamique qui s'investit à
fond dans son travail.

B. Compléter les phrases suivantes en choisissant l'un des
éléments proposés qui convient au contexte de la phrase.

1. Madame Grint (to work) in our company from 1975 to
1982.
a) has worked, b) worked, c) has been working.

2. Mademoiselle Claire Mortier (to be) a student at St David's
College since 1982.
a) has been, b) was, c) had been.

3. Mr Sneed has shown exceptional . . . . . in negotiating
difficult business transactions.
a) skill, b) creativity, c) approach.

4. My colleague has always proved himself to be totally.
a) energetic, b) reliable, c) lively.

5. His rigorous . . . . . has made him one of our outstanding
auditors.
a) sense, b) ability, c) mind.

A. TESTIMONIAL
I, the undersigned, Head of Studies at the . . . . . School
certify that Monsieur Joël HERTOUT was employed (in our
employ) from 7 October 1978 to 30 June 1982 as a teacher
of accountancy. He was always conscientious and impressed
everybody as an energetic and totally committed employee
(an employee totally committed to his work).

B. 1. b/, **2.** a/, **3.** a/, **4.** b/, **5.** c.

GLOSSAIRE FRANÇAIS-ANGLAIS
DES MOTS LES PLUS UTILES

A

accord (donner son), vb., *to agree*, IX.

accorder (un moment), vb., *to spare* (some time), VII.

accueillir, vb., *to welcome*, XI.

accuser (réception de), vb., *to acknowledge (receipt of)*, VI.

achat, n., *purchase*, VI.

acompte, n., *advance payment*, IV.

(s') adresser (à quelqu'un), vb., *to contact someone*, I.

agent immobilier, n., *estate agent* (GB), *realtor* (US), IV.

agréable, adj., *agreeable*, XII.

aimable, adj., *kind*, III.

amabilité, n., *friendliness*, XIII.

amélioration, n., *improvement*, VI.

amitiés, n., *regards*, VIII.

annonce, n., *advertisement*, I, *announcement*, XIII.

annuler, vb., *to cancel*, III.

apéritif, n., *cocktails, drinks*, XI.

appartement, n., *flat* (GB), *apartment* (US). (de l'hôtel), *executive suite*, III.

apprécier, vb., *to appreciate*, VIII, *to enjoy*, XIV.

apprendre, vb, *to learn* IX.

approfondi, adj., *thorough*, XVII.

arrhes, n., *deposit*, III.

assister, vb., *to attend*, X.

assurer (les réservations), vb., *to arrange reservations*, I.

atterrir, vb., *to land*, VIII.

avance (à l'), *beforehand*, X.

avantage, n., *advantage*, VII.

avoir l'intention de, loc., *to plan*, I.

B

banque correspondante, n., *correspondent*, XV.

basse saison, n., *low season*, II.

bloquer (un chèque), vb., *to stop a cheque*, XV.

bordereau de versement, n., *paying in slip*, XV.

bruyant, adj., *noisy*, XIV.

C

cadeau, n., *gift, present*, XIV.

cadre, n., *setting*, XII ; *executive*, XVII.

candidature, n., *application*, XVII.

capacités, n., *skills*, XVII.

carrière, n., *career*, XVIII.

carte (de crédit), n., *credit card, accreditive, banker's card*, XV.

caution, n., *security payment*, XV.

chaleureux, adj., *warm*, XIII.

chambre (2 personnes), n., *double room*, ... familiale, *family room*, ... individuelle, *single room*, II.

changement, n., *change*, IX.

charge (de), adj., *responsible (for)*, XVII.

charges (locatives), n., *cost of services*, IV.

charmant, adj., *lovely, delightful*, XIV.

chèque (barré), n., *(crossed), cheque / check*, XV.

chéquier, n., *cheque / check* (US), *book*.

chercher, vb., *to seek*, IV.

circonstances, n., *developments*, IX.

cocher, vb., *to tick*, V.

collaborer, vb., *to collaborate*, XIV.

comité, n., *committee*, XI

commande, n., *order*, VI.

commission, n., *charges*, XV.

commode, adj, *convenient*, VII.

compétences, n., *qualifications*, XVII.

complet, adj., *fully booked, booked up*, III.

comptable, n., *accountant*, XVII.

compte (en banque), n., *bank account*, ... courant, *current account* (GB), *checking account* (US), ... d'épargne, *deposit* *account*, XV.

compteur à pièces, n., *coin operated meter*, IV.

conditions (et prix), n., *terms*, II.

conforme (à), adj., *in accordance with*, IV, *up to standard*, VI.

connaissance, n., *knowledge*, VIII, faire la . . . . de quelqu'un, *to make someone's acquaintance*, IX.

conseiller, vb., *to advise*, IV, n., *advisor, counsellor*, XVII.

contraindre, vb., *to oblige*, IX.

contrat (de location), n., *tenancy agreement*, IV.

convenable, adj., *acceptable*, III.

convenir (d'un rendez-vous), vb., *to arrange a meeting*, VII, *to suit*, VII, XII.

couchette, n., *berth*, V.

coupon international de réponse, n., *International Reply Coupon*, I.

courant, adj., *fluent*, XVII.

cout, n., *cost*, VI.

couvrir, vb., *to cover*, V, XIV.

___

D

déclarer, vb., *to state*, XV.

décontracté, adj., *casual* (tenue), *relaxed* (ambiance), XI.

découvert, n., *overdraft*., (être à . . . .), *to be overdrawn, to be in the red* (fam.), XV.

déçu, adj., *disappointed*, VI.

déduire, vb., *to deduct*, XV.

demande de renseignements, n., *inquiry*, I.

départ, n., *departure*, IX.

déranger, vb., *to inconvenience*, X, ... quelqu'un, *to put someone out*, XII, *to disturb*, XIV.

désireux, adj., *anxious, eager, keen*, XVII.

deuil, n., *bereavement*, X.

devis, n., *quotation*, V.

devises, n., *currency*, XV.

dîner, n., *dinner*, XI.

discuter, vb., *to discuss, to talk over*, VII.

disponible, adj., *available*, III, XV.

dispositions, n., *arrangements*, III.

distractions, (possibilités de) n.,

leisure facilities, II.

documentation, n., *documentation*, I, *literature*, I.

documents (de voyage), n., *travel documents*, V.

donner congé, vb., *to give notice*, IV.

douche, n., *shower*, III.

dûment, adj., *duly*, IV.

durée, n., *length*, V.

___

E

économique, adj., *economic*, I.

effectuer, vb., *to carry out*, VI.

empêcher (de), vb., *to prevent (from)*, IX.

emplacement (camping), n., *pitch*, II.

encaisser (un chèque), vb., *to cash a cheque*, XV.

enchanté, adj., *delighted*, XI, *overjoyed*, XIII.

engagement, n., *commitment*, XII.

ennuis, n., *trouble*, VI.

entretien, n., *interview*, VIII, *maintenance*, XVII.

entrevue, n., *meeting*, VII.

équipé, adj., *fully furnished*, IV.

espérer, vb., *to expect*, III, *to trust*, III.

étage, n., *floor*, III.

étude, n., *survey*, VII.

étudier, vb., *to look at*, VIII.

(s') excuser, vb., *to apologize*, III.

excuses, n., *apologies*, III.

exemplaire, n., *a copy*, I.

___

F

facturer, vb., *to bill* (US), VI.

fêter, vb., *to celebrate*, XI.

fiancé, adj., *engaged*, XIII.

filiale, n., *subsidiary*, XII.

former, vb., *to train*, XVII.

fortune du pot (à la), *pot luck*, XI.

fournir, vb., *provide*, II, XV.

frais (de réservation), n., *booking charge*, III (. . . . d'envoi), *postage*, VI (. . . . de scolarité), *tuition fees*, XVIII.

G

gagner, vb., *to gain*, VIII.
gamme, n., *range*, VII.
garantir, vb., *to cover*, V.
gentil, adj., *kind*, XII.
geste, n., *gesture*, XIV.
gratuit, adj., *free of charge*.

H

habitation, n., *property*, IV.
haute saison, n., *high season*, II.
hébergement, n., *accommodation*, I.
héberger, vb., *to accommodate*, III,
. . . . quelqu'un, *to put someone up*, XI.
horaire, n., *schedule*, VIII.

I

implanter, vb., *to set up, to implant*, VII.
imprévu, adj., *unforeseen*, IX.
indications, n., *directions*, XI.
intégralement, adv., *in full*, V.
intérimaire, adj., *temporary*, XVII.
itinéraire, n., *itinerary*, IX.

J

joindre, vb., *to enclose*, I ; *to reach*, X ; se . . . ., *to join (with)*, XIII.
journée (à la), loc., *daily*, II.

K

kilométrage, n., *mileage*, V.

L

laisser, vb., *to leave*, VI.
libeller (une adresse), vb., *to address*, I.
libre, adj., *vacant*, III.

lieux, n., *premises*, IV.
linge de maison, n., *linen*, II.
lit (double), n., *double bed*, II, ...
individuel, *single bed* (GB), *single* (US), II, ... jumeaux, *twin beds*, II.
locataire, n., *tenant*, IV.
location, n., *let*, IV, *hire, rental*, V.
logement, n., *accommodation*, I.
loger, vb., *to accommodate*, III.
louer, vb., *to book*, I, (propriétaire), *to let*, IV, (locataire), *to rent*, IV.

M

malheureusement, adv., *unfortunately*, IX.
manque, n., *lack*, XIV.
mariage, n., (civil), *civil marriage*, (cérémonie), *wedding*, XIII.
mécontent, adj., *dissatisfied*, VI.
modifier, vb., *to modify*, IX.
montant, n., *amount*, XV.
montrer, vb., *to show*, V.

N

naissance, n., *birth*, XIII.
nécessiter, vb., *to require*, I.
noter, vb., *to note*, XV.
nuit (par), *per night*, II.

O

objectif, n., *objectif*, XVII.
obligation, n., *engagement*, XII.
occasion, n , *chance*, VII.
offre, n., *proposition*, XI.

P

pardonner, vb., *to forgive*, X
part (de la . . . . de), loc., *on behalf of*, XIII.
partir, vb., *to leave*, VI.
pavillon, n., *bungalow*, IV.
pension (complète), n., *full board*,

sympathie, n., *sympathy*, XIII.

usine, n., *plant*, XIV.

T

talent, n., *talent*, VIII.
tarif(s), n., *rate*, II, *quotation*, V.
taux (de change), n., *rate of exchange*, XV.
téléphone direct, n., *direct dialling telephone*, II.
téléphoner, vb., *to give a ring, to call*, IX.
tenue, n., . . . de soirée, *formal/evening dress*, ... de ville, *morning dress*, XI.
tirer, vb., *to draw*, XV.
touche, adj., *touched*, XIV.
tout confort, *all modern conveniences*, IV.
trajet, n., *journey*, I.
transmettre, vb., *to convey*, VIII, *to extend*, XIV.
tristesse, n., *sadness*, XIII.

V

vacance, n., *vacancy*, XVI.
vacances, n., *holidays*, I, XII.
vacant, adj., *vacant*.
valoir (la peine de), vb., *to be worth*, VI.
vérifier, vb., *to check*, XIV.
vigueur (entrer en) vb., *to come into force*, XV.
virement, n., *transfer*, XV.
visite guidée, n., *guided tour*, I.
vol, n., ... aérien, *flight*, V, (délit), *theft*, XV.
voyage (trajet), n., *journey*, I, *trip*, IX, ... en autocar, *coach tour*, III.

U

urgent, adj., *urgent*, XII.

W

WC (chimique), n., *chemical toilet*, V.

ABRÉVIATIONS

A.A., Automobile Association, *Association des conducteurs.*
AC., alternating current, *courant alternatif.*
a/c, account current, *compte courant.*
AD, ad, advertisement, (petite), *annonce, publicité.*
all mod.cons., all modern conveniences, *tout confort.*
AM, , Air Mail, *courrier aérien.*
a.m., (Lat. ante meridiem), in the morning, *du matin.*
Apr., April, *avril.*
arr., arrival, *arrivée.*
att., attached, *ci-joint.*
Aug., August, *août.*

B.A., Bachelor of Arts, *diplômé de l'université (licence).*
B&B, b&b, bed and breakfast, *chambre et petit déjeuner chez l'habitant.*
BD, Bank Draft, *chèque ou traite tiré(e) sur une banque.*
BE, Bill of Exchange, *traite, effet de commerce.*
B.L., Bachelor of Law, *diplômé de l'université (licence en droit).*
BR, British Railways, *chemins de fer britanniques.*
Bro, Bros, Brother(s), *Frère(s).*
BTA, British Tourist Authority, *Office du Tourisme Britannique.*

°C, Centigrade.
c, cent, cent, *(centième partie du dollar).*
c/a, current account, *compte courant.*
CC, copy to, *exemplaire envoyé à.*
CH, central heating, *chauffage central.*
chk, chq., *chèque.*
CIA, cash in advance, *paiement d'avance.*
Co., company, *compagnie, société.*
COD, cash on delivery, *règlement à la livraison.*

ColTV, colour televison, *télévision couleur.*
comm., commission, *commission.*
comp. insce, comprehensive insurance, *assurance tous risques.*
Cr, credit, creditor, *crédit, créancier.*
CV, cv, *curriculum vitae.*
cwt, hundredweight, *environ 50 kg.*

DB&B, db&b, dinner bed and breakfast, *lit, repas du soir et petit déjeuner.*
dbl., double, *double.*
DC, direct current, *courant continu.*
DD, direct debit, *débit direct, prélèvement direct.*
d/d, dtd, dated, *daté.*
del., delete, *barrer.*
deld, delivered, *livré.*
dep., departure, *départ.*
dept., department, *département, section, service.*
doz., dozen, *douzaine.*
Dr, draw to, *payez à.*
Dr, dr, double room, *chambre double.*

---

e & oe, errors and ommissions excepted, *sauf erreur(s) ou ommission(s).*
ee, errors excepted, *sauf erreur(s).*
EEC, European Economic Community, *CEE, communauté économique européenne.*
e.g., *(Lat ; exempli gratia),* for example, *par exemple.*
Enc(s) oncl., enc., enclosure(s), *ci-joint, pièces-jointes.*
E.R., *(Elizabeth Regina),* Queen Elizabeth, *La Reine Elizabeth.*
Esq., Esquire, *Monsieur.*
E.T.A., Estimated Time of Arrival, *arrivée prévue à...*
E.T.B., English Tourist Board, *office du tourisme britannique.*
Eve meal, E.M., evening meal, *repas du soir.*

FAO, for the attention of, *à l'attention de.*
Feb., February, *février.*
fgn., foreign, *étranger.*
ft, foot, *pied.*

gal., gallon, (GB), approx. 4,51 l (GB), 3,7 l (US).
gge, *garage.*
GMT, Greenwich Mean Time, *(temps moyen de Greenwich : T.U. : temps universel).*
GP, General Practitioner, *médecin généraliste.*
GPO, General Post Office, *poste central, recette principale.*

H&c, h&c, hot and cold water, *eau chaude et froide.*
Hb, half board, *demi-pension.*
HF, high frequency, *haute fréquence.*
HP, hire purchase, *location-vente.*
HP, hp, horse power, *cheval vapeur, CV.*
htd s/pool, heated swimming-pool, *piscine chauffée.*

i.e., *(lat. id est),* that is (to say), *c'est-à-dire.*
IMO, International Money Order, *mandat international.*
in., inch(es), *pouce(s).*
incl., included, inclusive, *inclus.*
info', information, *renseignements.*
inq., inquiry, *demande de renseignements.*
inv., invoice, *facture.*
IOU, I owe you, *reconnaissance de dette.*
IR, Inland Revenue, *fisc.*

£, pound (sterling), *livre (sterling).*
lb *(Lat., libra),* pound weight, *livre (poids).*
Ltd, *limité. Indique une société à responsabilité limitée.*

MA, Master of Arts, *diplômé de l'université (maîtrise).*

MP, Member of Parliament, *député.*
mpg, miles per gallon, *milles au gallon, ... litres àux 100 km.*
mph, miles per hour, *milles (kilomètres) à l'heure.*
MV, motor vessel, *bateau.*

n.a., not available, *non disponible.*
nat., national, *national.*
NC, n/c, no charge, *gratuit.*
Nov., November, *novembre.*
nt wt, net weight, *poids net.*
num, number, *numéro.*

Oct., October, *octobre.*
O/D, overdraft, overdrawn, *à découvert.*
op., out of print, *épuisé.*
opt., optional, *en option.*
O/S, os, out of stock, *manque, épuisé.*
oz, ounce, *once (28,35 g).*

p.a., *(lat. per annum),* per year, *par an.*
p&p, post and packing, *frais d'emballage et d'expédition.*
p.c., post card, *carte postale.*
PD, pd, per day, *par jour.*
pers., personal, *personnel.*
pkt, packet, *paquet.*
pking, parking, « *parking », parc de stationnement.*
Plc., Public Limited Company, *SA, Société anonyme.*
PM, Prime Minister, *premier ministre.*
p.m., *(Lat. post meridiem),* in the afternoon, *de l'après-midi.*
PP, per pro *(Lat. per procurationem),* by proxy, *par procuration.*
pp., post paid, *port payé.*
ppd, prepaid, *payé à l'avance.*
PO, Postal Order : Post Office, *mandat poste ; bureau de poste.*
POB, Post Office Box, *boîte (case) postale.*
PTO, please turn over, *tournez SVP.*
pw, per week, *par semaine.*

RAC, Royal Automobile Club, *club automobile.*

rcpt, receipt, *reçu (nom).*
rcvd, recd, received, *reçu (adj.).*
ref., reference, *référence.*
reg., registered, *recommandé.*
rep., representative, *représentant.*
RM, Royal Mail, *courrier, poste.*
rpm., revolutions per minute, *tours par minute.*
RR, Railroad, *(US), chemin de fer.*
RSVP, please reply, *répondre s'il vous plaît.*

SAE, sae, stamped addressed envelope, *enveloppe timbrée.*
s/c, self-contained, self catering, *tout équipé.*
SD, sight draft, *traite à vue.*
sec., s, seconde, *seconde (1/60 de minute).*
Set., Sept., September, *septembre.*
sep., separate, *séparé.*
ser., serial, *série.*
sgd, signed, *signé.*
sic., thus, *ainsi.*
S.N., serial number, *numéro de série.*
S/O, standing order, *ordre permanent.*
sp.del., special delivery, *livraison par courrier spécial.*
sq., square, *carré.*
Sr., single room, *chambre individuelle.*
SS, steamship, *bateau.*
St., stone, street, saint, *stone (poids), rue, saint.*
stg, sterling, *livre sterling.*
STN, stn, station, *gare.*
Sz, size, *taille.*

---

tel., telephone, *téléphone.*
tfr, transfer, *virer.*

tkt, ticket, *billet.*
tot., total, *total.*

UGT, ugt, urgent.
UK, United Kingdom, *Royaume-Uni.*
unpd, unpaid, *impayé, non payé.*
USC, under separate cover, *sous pli séparé.*

---

vac., vacant, *libre.*
VAT, Value Added Tax, *TVA (taxe à la valeur ajoutée).*
VHF, very hight frequency, *très haute fréquence.*
viz. *(Lat., videlicet),* namely, *c'est-à-dire.*
vs., *(Lat. versus),* against, *contre.*

---

wb, weekly board, *pension à la semaine.*
wc, without charge, *gratuit.*
wc, water closet, *toilettes*
W/E, weekend, *samedi, dimanche.*
wkds, weekdays, *jours ouvrables.*
wt., weight, *poids.*

Xmas, Christmas, *Noël.*

Y, yd, yard, *approx. 90 cm.*
YHA, Youth Hostels Association, *association des auberges de jeunesse.*
YMCA, Young Men's Christian Association, *association des jeunes hommes chrétiens.*
YWCA, Young Women's Christian Association, *association des jeunes filles chrétiennes.*

Zip, Zip code, Zone of improved delivery *(US), code postal.*

POIDS ET MESURES

POIDS

tonne, metric ton	= tonne métrique
short ton (US)	= 907,184 kg
long ton (US et GB)	= 1 016,047 kg
short hundredweight (cwt)	= 45,40 kg
long hundredweight (cwt)	= 50,80 kg
pound	= livre (lb) 0,453 kg
ounce (oz)	= 28,349 g

LONGUEUR

inch(es) (in)	= pouce(s) 2,54 cm
foot(feet) (ft)	= pied(s) 30,48 cm
yard(s) (yd)	= 0,914 m
statute mile	= mille terrestre 1,609 km
nautical mile	= mille marin 1,852 km

CAPACITÉ

imperial gallon (GB) (gal.)	= 4,546 l
US gallon	= 3,785 l
imperial quart (GB) (qt)	= 1,136 l
US quart	= 0,946 l
imperial pint (GB) (pt)	= 0,568 l
US pint	= 0,473 l

SURFACE

acre = 4 040 m²   1 hectare (ha) ≃ 2,4 acres

VÊTEMENTS

robes UK	Europe (metric)	UK	Europe
36	42	42	48
38	44	44	50
40	46	48	59

chemises UK	Europe	UK	Europe
14,5	37	16	40
15	38	16,5	42
15,5	39	17	43

chaussures UK	Europe	UK	Europe
4	37	8	42
5	38	9	43
6	39	10	44
7	41	11	45

IMPRIMÉ EN FRANCE PAR BRODARD ET TAUPIN
Usine de La Flèche (Sarthe), le 19-01-1988.
1506-5 - Nᵒ d'Éditeur 3028, janvier 1988.

PRESSES POCKET - 8, rue Garancière - 75006 Paris
Tél. 46.34.12.80

SERIE 40 LEÇONS

Cette série a été conçue à l'intention des débutants (ou de ceux qui souhaitent se recycler).

Pour ce faire chaque ouvrage comporte :

- des unités simples permettant d'acquérir et de maîtriser les mécanismes de base.
- des remarques, qui, ajoutées aux traductions en français, apportent à chacun les réponses aux questions qu'il se pose.
- une explication claire et accessible à tous des difficultés de prononciation.
- de nombreux exemples choisis en fonction de leur fréquence d'usage.
- des exercices de contrôle qui, joints à la répétition systématique des points étudiés, assurent l'acquisition des structures et du vocabulaire de base.

Chaque méthode, dont la progression est adaptée à la spécificité de chaque langue, comprend 40 leçons de 6 pages chacune suivies d'un précis grammatical.

La maîtrise de l'expression et de la compréhension orales est facilitée par l'enregistrement sonore de chaque ouvrage.

S RI OR
200 TESTS

S'adressant aux jeunes d'âge scolaire comme aux adultes, les ouvrages de la série **SCORE** sont des instruments d'évaluation, d'acquisition et d'amélioration des connaissances grammaticales.

SCORE vise à répondre à ces deux problèmes qui nuisent à l'efficacité de l'enseignement des langues :
1) l'absence d'homogénéité des connaissances dans les groupes.
2) le retard, de plus en plus difficile à combler, des plus faibles.

- Utilisé collectivement, **SCORE** permet de diagnostiquer rapidement le niveau moyen d'un groupe et de situer les ignorances individuelles.
- Utilisé individuellement par les élèves, **SCORE** facilitera leur remise à niveau; celle-ci s'opérera au rythme et en fonction des difficultés de chacun et de chacune.

La méthode **SCORE** comporte 3 parties : A, B, C, permettant :

Ⓐ. Une localisation des difficultés et la mesure des connaissances : 100 tests + corrigé.

Ⓑ. Un traitement des erreurs : par 100 fiches pratiques portant sur chacun des points testés en A (avec exercices + corrigé).

Ⓒ. Un contrôle des progrès par 100 nouveaux tests en fin de parcours (avec retour à la section B pour les points non encore maîtrisés).

Conçu pour l'apprentissage individualisé, **SCORE** facilite aux enseignants la mise à niveau d'un groupe non homogène.

Déjà parus : Anglais • Allemand • Espagnol • Italien • Portugais •

SÉRIE PRATIQUER

Les ouvrages de la série **PRATIQUER** répondent aux besoins de ceux qui, connaissant les bases d'une langue, cherchent à s'exprimer plus naturellement et à enrichir leur vocabulaire.

Conçus, comme tous les ouvrages de la collection LES LANGUES POUR TOUS, de façon à rendre possible l'apprentissage autonome, ils peuvent également être utilisés dans le cadre d'un enseignement de groupe (enseignement secondaire, formation continue). Ils s'adressent également aux voyageurs et aux touristes qui doivent faire face aux problèmes de communication au cours de leurs déplacements.

Ces ouvrages jouent donc un double rôle :
- Ils perfectionnent les connaissances linguistiques (vocabulaire, grammaire, prononciation).
- Ils présentent et analysent les variantes linguistiques (différence entre l'américain et l'anglais britannique, variantes spécifiques hispano-américaines, etc.).
- Ils introduisent à la connaissance de l'environnement (quotidien, culturel, touristique).

Dans une dernière partie (ANNEXES) les lecteurs trouvent des informations pratiques et socioculturelles, des index thématiques ou lexicaux.

SERIE ECONOMIQUE ET COMMERCIALE

Les ouvrages de cette série sont conçus pour tous ceux qui souhaitent acquérir les connaissances nécessaires à la pratique de la langue des affaires.

Ils s'adressent donc aux élèves des écoles de gestion, aux étudiants des I.U.T. et des Facultés (L.E.A.), aux candidats des examens des Chambres de Commerce et enfin au public de la Formation continue.

- Toutes les activités économiques de l'entreprise en 20 dossiers : animation commerciale, vie financière, informatique, comptabilité, marketing, vie syndicale, etc.
- Une alternance de dialogues pris sur le vif, de textes explicatifs, de documents commentés et de modèles de lettres permet au lecteur d'acquérir une connaissance réaliste du monde des affaires.
- Pour répondre aux besoins de l'utilisateur individuel, comme à ceux de l'enseignement collectif, tous les textes présentés sont systématiquement traduits.
- Toutes les particularités de la langue économique font l'objet de notes explicatives.
- Des tests et des exercices de contrôle pour faire le point de ses connaissances.

Un complément sonore (une partie des dialogues et des phrases types) permet l'entraînement à la compréhension (3 K7).